わたしは分断を許さない

堀潤
Hori Jun

序章

そんなに難しいことを言いたいわけではなかった。金よりも大切なものがあるはずだ、ということを伝えたかっただけだ。一度失ってしまったら取り返しがつかない悲しみを背負うことになる人々を冷笑さえする空気があることが辛かっただけだ。ささやかな幸せを手にするために懸命に生きてきた人々の努力をなかったことのようにして、大義を振りかざし、沈黙を強いる権力者がいることに憤っただけだ。そして、そうした強者に媚びて、忖度し、現実を見るべきだと開き直るメディアで働く人間がいることが虚しかったからだ。マスメディアだからこそ、かき消されそうになる小さな声を伝え続けるべきであるのに。

これが、今から7年前、私がNHKを退職して、誰にも縛られずに自由に取材や発信ができるフリーランスの道を選んだ理由だ。

局員時代、経済ニュース番組のキャスターを務めていた。退職の契機になった東日本大震災発災の直前に、福島県の一次産業を取材していた。TPP・環太平洋経済パートナーシップ協定の参加の是非を巡ってJAなど農業団体から反発の声が上がっていた頃だ。国内農業の保護か、規制緩和で成長を目指すかで意見が対立。経済団体は「船に乗り遅れるな」と、TPPへの参加を当時の民主党政権に強く促していた。

2010年の秋、当時、NHK福島放送局に勤務していた社会部出身の河村みはる記者から「堀潤の経済ニュースで取り上げるべき動きが福島である」と連絡があった。地元の地銀、東邦銀行と農家や養殖業者が互いに連携して付加価値の高い農産品を作り、海外などに打って出る計画を進めているという話だった。

早速、福島県を訪ねた。現場では法人営業部の行員が農業経営アドバイザーという資格を取得し、作業着、長靴姿で各農家を回り、ホワイトアスパラガスや蜂蜜、ニジマスなど、ブランド化による販路開拓を進めていた。脂がのった瑞々しい川俣町のシャモや会津磐梯山からの清流で作られた日本酒の澄んだ味が忘れられない。農家の一人は取材の中で、取り組みへの期待を吐露してくれた。「福島県は関東の食料基地と呼ばれたりもするんですよ。東京の皆さんがスーパーに行っていつも安心してトマトやキュウリが買えるのは福島の生産者が担っているからです。しかしブランド力が弱いので足元を見られて流通からは買い叩かれやすい。味も品質も一級なのでTPP時代は〝守る〟のではなく、逆に、胸を張って攻めていきたい」。自由貿易時代だからこそ、一人ひとりの生産者の自らの努力と工夫によってこれまでの慣習を打ち破りたいという。銀行にとってみれば足元の産業を育てることで、優良な融資先を確保できる。両者生き残りをかけた背に腹は代えられない取り組み。TPP賛成か、反対かという二項対立ではなく、前進のために奮闘する現場がそこにあった。力強い言葉を聞き、胸が熱くなった。「NHKとしても応援させてください」と握手をして現場を離れ、翌週、私の番組で特集として放送した。対立を煽ればやがて分断が生まれる。分断を乗り越えるヒントは双方のジレンマに目を向け、解決策を模索し行動する現場にこそある、そう確信させる貴重な取材だった。

2011年3月11日

原発事故が起きたのは、それから2、3週間後のことだった。取材先の農家は傷み、銀行員たちは取り組みの抜本的な見直しを迫られた。事故によって様々な分断に苦しめられた。原発再稼働の賛否、放射能の影響、強制避難か自主避難か、賠償金の有無や、額の大小。福島県下でも対立がうまれた。事故によって生活が根こそぎ奪われた人とそうではなかった人たちとの意識の溝も忘却が進むにつれ深まっていった。廃炉作業で出た放射性廃棄物の中間貯蔵施設の建設をめぐって「最後は金目でしょ」と言った当時の石原伸晃環境大臣の発言は、当事者の気持ちを踏みにじるものだった。その後、批判を受け謝罪したが、政府との温度差を感じさせる象徴的な出来事だった。実際に現場は賠償や保証金などによって分断されていた。

石川淳一さん

農業ブランド化の旗振り役だった東邦銀行法人営業部の石川淳一さんの悲痛な表情が今でも忘れられない。事故後、福島県の農家は強烈な風評被害に見舞われた。放射能の影響によって生産が中止させられた農地と、そもそも影響がなかった地域も「福島」という一言によって括られることで、放射性物質の測定結果で安全が確認されたとしても、敬遠されたりそもそも店頭に並べてもらえないという状況もうまれた。福島県内に住む住民の間でも、食べる、食べないで意見が分かれ、家庭内でも分断が起きる辛い事態も取材を通じて出会った。

石川さんは東京へ何度も足を運び、百貨店や料理屋などへの飛び込み営業を重ね、安全が確認された福島産の品を置いてもらえるよう交渉を続けていた。時には法被を着て、駅ビルの物産展で桃や米などを手売りして回ることもあった。通りがかる人に深く、深くお辞儀をしながら「美味しい桃です。証明書もついています。どうか一度召し上がってみてください」と試食を進める姿に胸が締め付けられた。「諦めませんよ。これからです」と涙をこらえて笑顔を作った石川さんと何度も握手をした。石川さんの瞳にうっすらと浮かんだ涙は、今も私が福島県に通う原動力にもなっている。原発事故後、一つ一つの現場の取り組みに勇気づけられた。「福島は」という大きな主語では見えてこない、一人ひとりの物語が現場の今を見せてくれる。

渡辺喜則さん、佳子さん

福島県須賀川市の渡辺果樹園。5年前、高級洋梨「ル・レクチェ」の受粉作業に追われる渡辺喜則さん、佳子さん夫妻を訪ねた。90年続く農家の4代目。5月の柔らかな陽の光を受け、梨の花がとても美しかった。冗談を交えながら取材に答えてくれた。「原発事故があろうとなかろうとお客様に信頼してもらえる作物を作っていくことが大事。安易に事故のせいにしてはいけないと思っています」。喜則さんの言葉は力強かった。

木村重男さん、久美恵さん

いわき市の日本料理店「海鮮四季工房 きむらや」の木村重男さん、久美恵さん夫妻。原発事故直後に、警戒区域に指定された楢葉町、富岡町で先代から続く鮮魚店と日本料理店を営んでいた。富岡の店は１００人の客が入る自慢の店だった。しかし、開店からわずか4ヶ月後に震災が発生し、木村さん夫妻は避難を余儀なくされた。私が夫妻に出会ったのは14年前の２００６年。当時、サッカーのドイツW杯に出場する日本代表の選手達が近隣の施設で合宿を行った時に取材で出会った。「このカツオで日本代表、勝つおー！」と小名浜で水揚げされた立派なカツオを手にカメラの前で一声上げてくれたのが重男さんだった。笑いながら見守っていたのが久美恵さんだ。

それから5年後、夫妻は原発事故によって突然この場所を追われた。夫妻と当時中学生だった娘の瞳さんは、一旦、久美恵さんの実家がある新潟県に避難した。いわき市に戻ったのは7月。瞳さんが高校の進学を控えていたからだ。とにかく営業を再開するため資金をかき集めて、夫妻は弁当屋を始めた。「もう一度料理を振る舞いたい、お客さんに喜んでもらいたい」と重男さんは歯を食いしばった。取材に行くたびに久美恵さんは「帰りの電車で食べてね」と言っておにぎりを私に持たせてくれた。常磐線の中で食べた炊き込みご飯は温かく、優しい味がした。気がつけば瞳さんは20歳になっていた。瞳さんの成人式は故郷の楢葉町で行われた。「震災がなかったら出会えなかった、経験できなかったこともある。父と母の頑張りを見て育った5年。両親のような大人になって楢葉を支えたい」。瞳さんの言葉はこれまでの歩みと両親の努力の結晶であり、復興への希望、そのものだった。木村夫妻は、いわき駅前に日本料理店を再建した。同じく避難を強いられた双葉郡の人たちの拠り所にもなっている。

小山良太さん

福島大学に設置された、うつくしまふくしま未来支援センターでは、2013年、当時准教授だった小山良太さんが、地元の農業協同組合や全国からボランティアで駆けつけた生協組合員と協力しながら福島市内をはじめとしたJA新ふくしま（現・JAふくしま未来）管内の全農地の詳細な放射性物質の分布図作りを進めていた。当時、国や自治体が公表していた測定地図は1面積当たりが広すぎるとして、測定範囲を狭めより詳細で正確な分布図を作ることが農業再生に繋がる第一歩だと奮闘していた。「詳細なデータがないと農地再生の復興計画は進められません。ないのであれば、自分たちで作らなくてはと。ボランティアの皆さんの存在が本当に、本当にありがたい」とスクリーンの前で指し棒を握りしめて語ってくれた。延べ361人のボランティアが参加し、管内の水田・果樹園約10万地点の観測が完了し、分布図の完成にこぎつけた。これによって、作付制限、農地の除染、カリウム散布によるセシウムの吸収抑制策など、生産面での対策が強化された。震災翌年の2012年から7年間実施されてきた福島県産米の全量全袋検査結果では2015年以降、5年連続で基準値超えがゼロとなっている。

サキエさん

相馬市の相馬中央病院の病室では、当時81歳のサキエさんが静かにベッドに横たわっていた。庄司幸恵看護部長が「アナウンサーの堀潤さんが取材に来られましたよ」とゆっくりとした口調で耳元で声をかけると、サキエさんは起き上がってにこりと微笑んでくれた。相馬中央病院では糖尿病を始め、高血圧など生活習慣病を悪化させる避難者の数が急増していた。サキエさんは避難先の仮設住宅で暮らしていたが、体調を悪化させ入院していた。偏った食生活が原因の一つだ。原発事故前は自宅で、自家用に栽培した野菜をはじめ、バランス良い食事をとっていた。避難生活が始まってからは、おにぎりやスーパーの惣菜が中心になった。仮設住宅での長引く避難生活。会話もなく、もらったお菓子を食べて寂しさを紛らわせることも度々だったという。持病がこうして悪化した。坪倉正治医師は現場から警鐘を鳴らしていた。「原発事故後の健康被害について、メディアでは盛んに放射線の影響ばかりがクローズアップされていますが、今深刻なのは生活習慣病の悪化です。関連死に繋がるこうした現状をしっかり伝えてほしいのです」と語っていた。お年寄りだけではなく、仮設で暮らす子どもたちの肥満や原発作業員の食生活の管理などにも目を向けるべきだと指摘した。

実際に、福島県では体調悪化などによる震災関連死の数が周辺に比べて突出して多い。2019年9月現在、わかっているだけでも2286人が関連死として記録されている。宮城県の倍、岩手県の5倍に当たる数だ。東日本大震災による直接死の数を関連死が上回っているのが福島県の特徴だ。復興に向けた迅速な対応が取られていれば、防ぐことができた死がそこにある。「知ってほしい。社会的なサポートが欠如したことで起きたことです」と坪倉医師が強く早急な対策を訴える理由がよくわかる。

服部浩幸さん

２０１３年暮れに、私は福島地裁を訪ねた。その年の３月、震災当時福島県や隣県で暮らしていた住民３８６４人が原告になって、国や東京電力に対し賠償を求め訴えを起こしていた。その訴訟は『生業を返せ、地域を返せ！』福島原発訴訟」、通称「生業訴訟」と呼ばれていた。被災した住民が原告となった民事訴訟としては国内最大規模だった。原告団の事務局長を務める、服部浩幸さんは二本松市でスーパーマーケットを営んできた。３人の子を育てる父親でもある。当時、ＰＴＡの会長をしていた。震災直後は地域の人たちに食べ物を届けるのに必死だったが、お母さんたちから給食で使う食材について相談を受けたことをきっかけに原発事故の影響について考えるようになった。給食で使う米が県内産に切り替わってから、給食をやめたいと申し出る親も出た。アンケートなども実施し、議論を重ねた結果、希望する家庭は弁当を持たせても良いことになった。運動会の実施を屋外にするか否かや、長距離走の大会に子どもを出すか出さないかで親同士が対立することもあったという。気がつけば地域が分断されていた。「昔はみんな仲が良かったんです。原発事故がなかったら、こんなふうに人々が分かれてしまうことにはならなかったはずです」と振り返る。服部さんは放射線の知識を得るために、自ら進んでウクライナを訪ねチェルノブイリ原発の事故後の対策を見学しに行ったりもした。商売のこともあり、裁判に参加し国や東電を訴えるのには勇気もいったが、「子どもたちの未来のために、今、やるべきことを全てやり尽くすことが我々大人の責任だと思う」と決意を固めた。生業訴訟は今も続いている。

２０２０年　平成から令和へ

２０２０年は、東日本大震災から10年目が始まる年だ。平成から令和への改元も経て、メディアではオリンピックイヤーとして語られることが多い２０２０年でもある。復興五輪の冠にふさわしい情報発信や取り組みは十分だろうか。十分だ、と答える人は決して多くないはずだ。

私はどうしても、２０２０年という年だからこそ、これまで取材を重ねてきた原発事故のその後を多くの人に知ってもらいたいと、長年撮り溜めてきた映像をもとに映画を製作することを決めた。まだ解決していない課題や現場で奮闘する人たちの存在を伝え、前進

2020年は東日本大震災から10年目の年である。震災とは一体何だったのだろうか

のための知恵や行動が集まることを切に願っているからだ。知らせることが、私ができる唯一の復興支援だ。

　ところが、映画の企画を配給会社に持ち込みプレゼンした際にこんなことを言われた。「原発事故の話は最近、劇場が尻込みするんですよ。客の入りが悪いって。やるんだったら相当なものを作らないと」と。予想していた反応だった。これに近い原体験がある。

　2011年の暮れ、私がキャスターをしていたNHKの経済ニュース番組の企画会議。年末に放送する1年の振り返り番組のラインナップを話し合っていた時だ。番組デスクはこう言った。「トップはギリシャの信用不安で。世界経済の混乱に注目が集まっている。震災はその後の項目で」と。経済部主導で制作していた番組だった。注目しているという人物たちの姿が透けて見えた。財界や霞が関の官僚、政府首脳の関心はそのデスクの言う通り、ドル円相場や景気の変動が最大の関心事だという実感だったのだろう。確かに世界経済の混乱は日本経済の混乱につながり、復興への影響が出るであろうことは理解できた。しかし「知ってほしい」と発信を待つ被災した人たちのＳＯＳを蔑《ないがし》ろにすることは絶対にできなかった。「福島の復興なくして、日本の復興なしという政治家の言葉は嘘じゃないですか。足元の生活を根こそぎ奪われた人たちがいるんですよ。どうして震災がトップじゃないんですか。発信を待っている、支援を待っている人たちのために放送するのがＮＨＫの役目じゃないんですか？」と詰め寄り、結果として年末の番組のトップは震災関連に差し替えてもらった。震災の年でさえ、という出来事だった。報道量はそれ以降目に見えて減っていった。

それだけに配給会社の指摘は理解できるものだったし、移り気な大衆社会と向き合う手強さも感じた。忘却どころか、西日本ではそもそも状況を知らないという人も大勢いることを実感していた。海外では未だに防護服がないと生活できないと思い込んでいる人がいる経験もあった。

現在の経済システムの中で生きづらさを感じる人が増え、移民排斥などの運動が高まっている。多様性とは何なのだろうか

どうしたら、人々の関心を引き寄せられるのだろうか。企画を持ち帰り、あらためて自分のこれまでの取材を振り返っている時にある気づきがあった。それは「分断は世界中で深まっている」ということだった。アメリカでのトランプ大統領の誕生。国民投票によるイギリスのEU離脱。欧州各地で高まる移民排斥。シリア内戦をはじめとしたアラブの春以降の混乱。朝鮮半島や香港は、まさにリアルタイムで揺れ動く分断の現場だった。

深まる分断の現場で

この10年でメディア環境も大きく変化し、SNSを中心に誤った情報や一方的な強い表現が跋扈《ばっこ》するようにもなっていた。ヘイトスピーチやフェイクニュース現象が国際的な社会問題にもなった。こうあるべきだ、こうに違いないという偏った情報により分断が深まり、分断はやがて排除、排斥を加速させていった。政治はそれを利用し、自らに利する都合の良い情報発信に邁進するようにもなった。暮らしが豊かになるのであれば、誰かの人権が制限を受けても構わないという、誤った認識も広まったように思う。

民主主義、自由。香港の若者は、立ち上がった。日本の国旗を持つ若者は「明日の香港だという危機感で、まずは私たちのことを知ってほしい」と言った

そうした状況を鑑みると、福島で起きている問題の解は、世界各地で孤立する分断の当事者たちへの処方箋に繋がるかもしれない、そう思うようになった。その逆もある。各現場では分断を手当てするための様々な取り組みが試行錯誤を繰り返しながら続けられている。世界を見ることで、国内の分断を乗り越えるヒントが見つかるのかもしれない。私はその答えを知りたくて、世界を旅することにした。今、この原稿もアフリカ、スーダンで書いている。昨年、市民のデモによって30年続いた独裁政権が倒れた現場だ。今、ここでも新たな分断が生まれようとして

いる。

映画『わたしは分断を許さない』はこうした背景を元に生まれた作品だ。ヨルダンでは、シリア難民キャンプを訪ねた。突然内戦によって土地を追われた子どもたちの物語だ。パレスチナでは地区の周囲全てが壁やフェンスに囲われ隔離されたガザで取材をした。誰がガザを分断しているのかその実態に迫った。カンボジアは首都プノンペンと農村部を訪ねた。中国の一帯一路構想の最前線の一つだ。開発と人権のバランスが崩れようとしている現場だ。そして、平壌へは二度訪ねた。朝鮮民主主義人民共和国は私たちにとって「近くて遠い国」。拉致問題や核・ミサイル問題が横たわる中、問題と向き合いどのように関係を築けば良いのかを探った。さらに香港。若者たちが命をかけて声を上げる闘争の最前線にカメラを入れた。彼らが語る民主主義とは何か。香港人同士の暴力はどのように仕掛けられていったのかを取材した。そして、沖縄。日本人でありながら、沖縄の歴史や基地問題を私たちはどの程度理解しているのだろうか。原発事故と基地問題を結びつけるある女性の生活に焦点をあてた。２０１１年以降取材を続けてきた、小さな主語の物語から、分断の仕掛けを読み解いていきたい。

目次

表紙写真／キセキミチコ
本文写真／堀潤
コピーライト／阿部広太郎
ブックデザイン／藤崎良嗣＋五十嵐久美恵 pond inc.
本文ＤＴＰ／加藤一来
校正／くすのき舎
編集協力／井上香澄（GARDEN）、今橋晃代（8bitNews）
編集／白戸翔（実業之日本社）

分断の現場

私には、どうしても許してはいけないと感じるものがある。それは「分断」だ。この10年で、国内外の様々な社会課題の現場で「分断」が深まったと感じる。

人々の疑心暗鬼は、やがて差別や排斥を生む。

そして2020年は東電福島第一原発事故から、そしてシリア内戦から10年目を迎える年だ。

世間の忘却に耐え、未だ孤立し、支援を待つ人たちがいる。一体なぜここまで、そして一体誰がこの分断を生んだのか。

私は世界各地の現場へ取材の旅に出た。

どうしても分断の手当てが今必要だからだ。

こんなはずじゃなかった。

世界は近くなった。人間同士の距離は縮まった。
はずだった。しかし、至る所で分断は起きている。
こんな世界を誰が望んだのだろうか。
それでも、希望はあるはずだ。
諦めるわけにはいかない。

それでも、
諦めたくない。

福島

２０１１年3月11日。突如起きた震災は、多くのものを奪っていった。追い打ちをかけるように、東京電力第一原子力発電所でメルトダウンが発生。周辺区域に人は住めなくなった。故郷を失い、生業を奪われ、未だ自宅に帰れない人がいる。同じ震災で苦しむ人々の間に生まれる「分断」と「差別」に迫った。

上・近隣住民や先生たちの迅速な判断で全校児童80人あまり全員が無事に非難した浪江町の請戸小学校。黒板には、激励のメッセージが書き込まれている
右・マグニチュード9.0という国内観測史上最大の地震は、大津波を引き起こし、太平洋沿岸の町を飲み込んだ。その爪痕は今も残る

左・2013年3月11日に、震災当時福島県内及び隣県に住んでいた住民が国と東京電力を提訴。2017年10月10日、福島地裁で住民側が勝訴した

沖縄

「生業訴訟」の原告の一人である久保田美奈穂さんは、原発事故後、放射線量に怯える日々に疲れ果て、沖縄へ移住した。そこで出会ったのは、普天間から辺野古への新基地移設に対して反対運動を行う人々だった。在沖縄米軍海兵隊の広報官や、元沖縄県知事・太田昌秀氏の言葉も通じて、基地が生む「分断」に迫った。

上・名護市の在日米軍キャンプ・シュワブ前で基地移設に反対する人々。彼らの後ろには民間の警備員が一列に並ぶ
左・米軍施設ホワイトビーチで公開された航空機のオスプレイ。米軍と沖縄民の地域交流の場でもあり、様々な思いが交錯する

基地移設反対運動の様子をカメラに収める久保田美奈穂さんは、反対運動に参加する傍ら、米軍主催の地域交流の場も訪ね、ジレンマに直面する

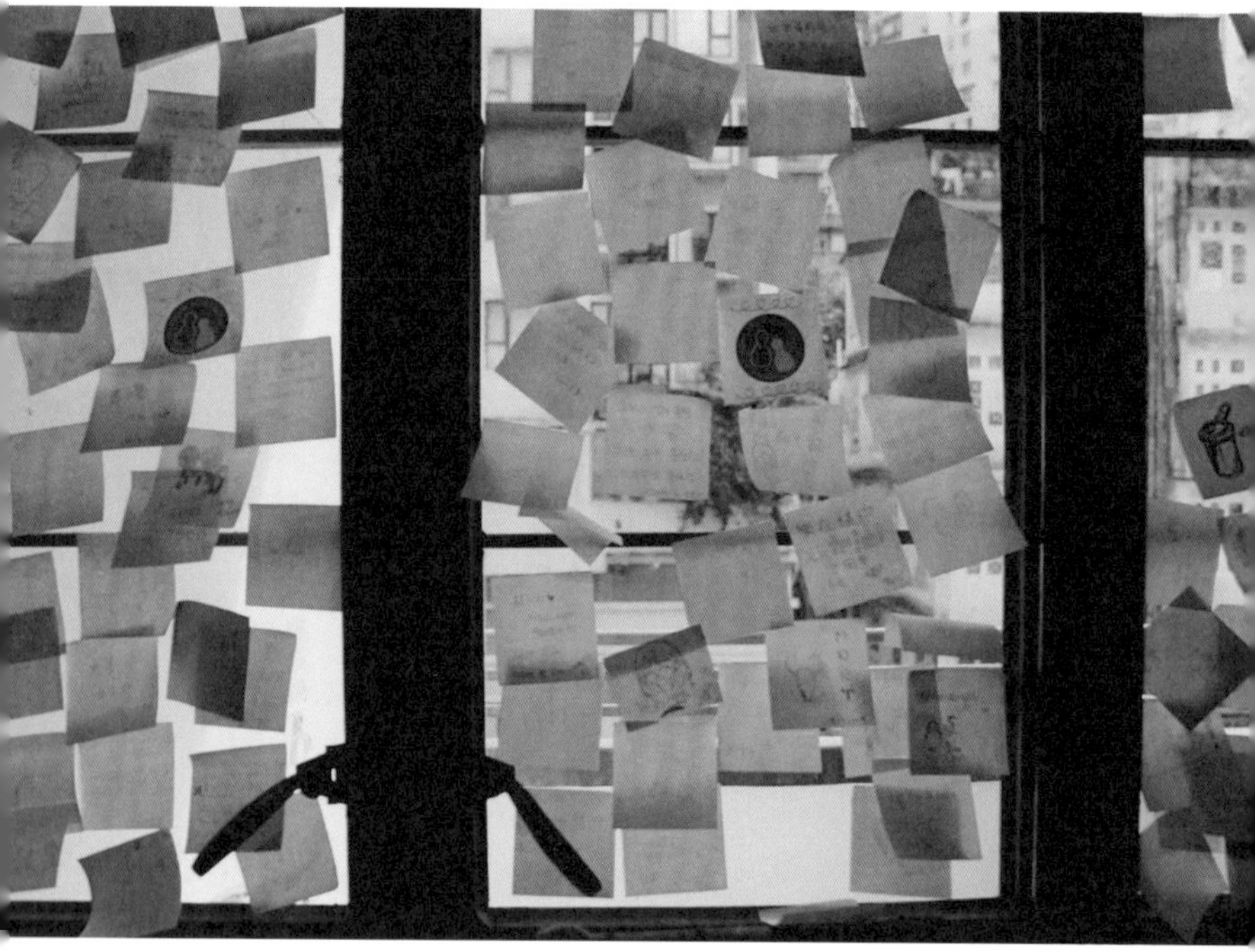

香港

2019年2月に香港政府が提出した「逃亡犯条例改正案」に端を発した若者を中心とした民主化デモは、日を追うごとに激しさを増した。

私は何度も香港に飛び、デモの最前線で取材をした。本当に若い世代が命を懸けて闘っていた。彼らが戦う理由はなんなのか。戦う相手は誰なのか。そして民主主義とは。

上、右・「希望があるからやるのではない。やるから希望が生まれるのだ」。「百万ドルの夜景」と言われる街で、消えそうになる「自由」を守るために、多くの香港人が立ち上がった。その戦いの中で、多くの者が傷つき、尊い命が失われたことを忘れてはならない

左・2014年の学生の反対運動「雨傘革命」の時のように、多くのデモ隊が傘を手にした
右・鎮圧する警察官も香港人。彼らへのインタビューも試みた

朝鮮民主主義人民共和国（北朝鮮）

近くて遠い国、朝鮮民主主義人民共和国（北朝鮮）。ミサイル問題や拉致問題、そして経済制裁など、両国の間には未だ深い深い分断が存在する。そんな中、両国の関係を消してはならないと、何年も続く交流がある。「日韓大学生交流会」に参加した若者たちの交流の様子を通じて「分断の手当て」の可能性を探った。

上・2019年に開催された、日朝大学生交流は、日本のNGO「日本国際ボランティアセンター（JVC）」が、民間交流の場として2012年から続く貴重な対話の場だ
左・学生交流の2ヶ月前、中国の習近平国家主席は、中朝国交樹立70年を祝し、初めて北朝鮮を訪問した

右・平壌の地下鉄のホーム。地上に出ると、高層マンションやガラス張りのオフィスビルなど近代化された街並みが続く

パレスチナ ガザ地区

長さ50km、幅5〜8kmの狭く細長いガザの周囲は壁やフェンスで囲まれ、「天井のない監獄」と呼ばれている。イスラエル軍に包囲された街には、約194万人が暮らし、世界で最も人口密度の高い場所の一つでもある。現在もなお、戦火から逃れて来た多くの難民が、子どもたちが、困難な生活を強いられている。

34ページの写真はガザ入域の際に通過する鉄格子に囲まれた緩衝地帯。イスラエル軍に包囲されているガザは、物資も人の行き来も厳しく制限されている。右の写真は日本のNGO、JVC・日本国際ボランティアセンターとガザ市民の交流の様子

過酷な生活を強いられているガザ地区で、多くの子どもたちが生活する。必要な物資もままならない状況で栄養失調や貧血などの症状に苦しんでいるが、その中でも希望を見出し、力強く生きている。母親たちは栄養に関するトレーニングなどを受けている

カンボジア

カンボジアの首都・プノンペンでは、2000年代の初頭から、中国の資本が入り、大規模な都市開発が進められている。その中国政府の「一帯一路」構想の陰で、急激に増えた中国人労働者のトラブルや、都市と地方の格差拡大で生まれたひずみは、カンボジアの「今」に大きな影を落としている。

プノンペンでは、道路の施設や高層ビルの建設がいたるところで進んでいる。誰のための街になるのか。その一方で地方との格差は開くばかりだ

２０１９年4月、アフリカのスーダンでは、30年続いた独裁政権が崩壊した。きっかけを作ったのは、「公正さ」を訴えた市民たちの力だった。「アラブの春」から平和の尊さを学んだ人々は、武器を持たずして革命を成し遂げ、求め続けた民主主義を手に入れられるかの瀬戸際にいる。

軍による暫定政権から民主化を目指し交渉が続くスーダンは、未だ不安定な情勢に置かれている。内戦で住む場所を追われた人たちが暮らす地域を訪ねた

民主主義を自由を、考える

第1章

うっかり加担してしまう分断

知らず知らずのうちに分断に加担している自分がいる。無自覚であってはいけないと思うようになったきっかけがある。

僕らはとんかちやネジと同じです。

2008年。今から12年前の夏、荒川の河川敷である男性にインタビューをした。20代後半のその男性は日雇い派遣として働いていた。

その年の6月8日、東京・秋葉原で酷い事件が起きた。日曜日の正午過ぎ、多くの通行人で賑わう歩行者天国の交差点に暴走したトラックが突っ込んだ。被害者は跳ね飛ばされた人たちだけではなかった。車を運転していた男は車を停車させると、奇声を上げながらナイフを持って逃げ惑う人たちに無差別に斬りかかった。防犯カメラは大通りを一斉に逃げ惑う大量の人たちの姿を映し出していた。近くの牛丼屋に助けを求め駆け込む人の姿もあった。子どもを抱きかかえて逃げる父親もいた。7人が亡くなり、10人が重軽傷を追った。男は近くの交番から駆けつけた警察官たちによって、取り押さえられ逮捕された。市民が携帯電話で撮影した写真に写っていたのは、返り血を浴びた若者だった。細縁のメガネの奥に見えた瞳は虚ろだった。男の名前は加藤智大、犯行当時25歳だった。安定した職を得られず、派遣社員として各地を転々としていた。

この事件のことは忘れられない。事件の一報を受け、自宅のあった新宿から現場に急行した。子どもの頃から家族団欒の場所だった秋葉原。到着すると被害者が倒れ、血だまりがあちらこちらで広がっていた。救急隊員たちが中年の男性に懸命に声をかけ処置を続けていた。震えが止まらなかった。事件後は度々現場を訪ねて手をあわせた。加藤はなぜ犯行に及んだのか。なぜ事前に食い止めることができなかったのか、答えを探し続けた。

荒川の河川敷で臨んだインタビューもその答え探しの一つだった。同世代の派遣社員は、加藤の犯行をどう見ているのか知りたかった。事件が起きた2008年当時、経済情勢は混乱していた。「失われた20年」と言われた時代だ。バブル崩壊後の出口の見えない平成不況が続き、経済成長しても給与に反映されない「実感なき景気回復」と言われた時代を経て、アメリカの金融不祥事による世界的な景気悪化を引き起こした「リーマンショック」でとどめを刺された。

安いものが売れる時代。賃金が上がらないため、さらなる安さが求められ、売り上げが落ちると賃金はさらに下がっていった。経済の悪循環で、デフレスパイラルに陥っていた。企業は賃金の安い非正規社員の活用に活路を見出した。

男性は大学を卒業以来、派遣の現場で転職を繰り返していた。インタビュー当時、彼は東京の北部の町で、トラック製造工場の派遣社員として勤務していた。加藤の犯行について聞くと「非難はできない」と返ってきた。むしろ、気持ちがわかるという。「なぜ共感するのか？」と尋ねると逆に質問が返ってきた。

「堀さんを評価するのは、どの部署ですか？」

「人事部です」

「僕を評価するのは何部か知っていますか？」

「人事部では、ないということでしょうか」

「資材部です」

「資材部？」

「どのくらいの工具が必要か、材料が必要かを管理する資材部です。今日は何人派遣が必要か。明日は何人いらないか。僕らはとんかちやネジと同じです。会社にとってみたら人間ではないんです」

日雇い雇用の現場は問題が山積だった。雇用の調整弁という言われ方もしていた。「堀さんは、人事部で人間として扱われる。僕らはそうではない。気持ちがわかりますか?」というくくりの言葉で、私は何も言えなくなった。

あちらとこちらを隔てる装置

当時、私はNHK夜9時の報道番組『ニュースウオッチ9』の担当だった。格差や貧困と働き方が結び付けられて論じられるようになった頃だ。日々の取材でその現象を追っていた。2006年から2007年は、働いても働いても豊かになることができない現場を追ったNHKスペシャルでタイトルに使われた「ワーキングプア」や、所得や教育、職業などあらゆる分野で格差が広がったことを表した「格差社会」、雇用の現場が崩壊し、家も借りられずにネットカフェを転々として暮らす人々を指す「ネットカフェ難民」などが新語・流行語として注目を集めた。2009年は不況で次々と非正規社員が突然職を失う「派遣切り」という文言が続いた。そのほかにも「名ばかり管理職」、「偽装請負」など思い出しても辛い言葉が続く。

非正規労働の拡大は、今も日本経済と暮らしを蝕む社会問題だ。非正規社員の給与は正社員の待遇とは大きく差がある。非正規で働く女性の年収は140万円台。子どもを育てるためダブルワーク、トリプルワークで身体を壊してしまう女性の取材もした。非正規雇用で働く人たちの駆け込み寺として立ち上がった労働組合「派遣ユニオン」の相談電話が鳴り止まなかったのも忘れられない現場だ。派遣先で怪我をしても補償が受けられないばかりか契約を解除されたり、本人に知らされないまま賃金が不当にピンハネされていたり、問題が山積だった。そうした人々を雇う派遣会社の本社が都心の一等地のビルに置かれていたことにも驚かされた。なぜ、人権を蔑ろにするのか理由を尋ねるため取材を申し込み訪ねた彼らのオフィス。六本木ヒルズの上層階に、デザインされたオフィスが広がっていた。

ずらりと並んだ社員一人ひとりの椅子には高い背もたれがついていた。経営者は雲隠れして、結局インタビューに答えることはなく、代わりに現場の社員が覆面を条件に取材に応じた。「私たちもノルマがある。ノルマが達成できなければクビになるかもしれない。派遣の人たちには申し訳ない思いもある」と、彼らの心情もまた苦しかった。資本主義とは得体の知れない欲望の装置だと感じた。六本木のビル前で行われた抗議集会に参加した男性に一通り、職場の状況や訴えの中身についてインタビューをした後、最後に「将来の夢は何ですか？」と尋ねた。その時の男性の失望に似たため息が、今も私の心を締め付ける。「堀さんは、安定した給料がある。クビにもおそらくならないでしょう。だから来年どうしていたいのか、10年後にどんな暮らしをしているのか、未来を語ることができますよね。でも、僕はこの取材を受けた後、家に帰って布団の中で携帯電話で明日の仕事を探すんです。わかりますか？　この気持ちを。夢を語ることができると思いますか？」

返す言葉がなかった。

読者の皆さんに告白したいことがある。第1章の原稿を書き始めてからしばらくの間、筆が全く進まなくなった。再開するまで2週間近くかかった。理由は、取材で話を聞いた男性たちの名前が思い出せなかったからだ。記憶の扉を開けて遡ろうとしたものの、一人ひとりの表情、取材場所の風景、言葉、日差しや風の吹き具合は覚えていても、どうしても名前が思い出せなかった。取材メモを探してみたが、資料は出てこなかった。思い出しても、思い出しても「派遣社員の男性」としか記憶になかった。最低である。一人の人間のアイデンティティを属性でしか記憶していない。きっと当時もそのような意識だったのだと思う。寄り添うように見せて、尊厳を傷つけていたのは、私だ。10年以上経って、私は私が当時しでかしたことが恐ろしくなり、筆が全く進まなくなった。そんなつもりはなかった。しかし、こうやって当時、自分が相手に投げかけた質問の数々を振り返って、並べてみると、想像力のなさにただただ俯《うつむ》くしかなかった。

加藤を犯行に追い込んだのは、誰だったのか。それはおそらく、私、私の中にある無自覚さだったように思う。悪意はなかった。そんなつもりもなかった。私はあちらとこちらを隔てる装置の一つだった。

大きな主語から小さな主語へ

私の意識を変えたのは、東日本大震災、原発事故だった。序章で書いたように、震災前から福島県への関わりがあった。事故から3年を迎える頃だ。ある番組で私はこんな発言をした。「福島では今も多くの人たちが苦しんでいます。忘れないでください」そんな呼びかけだった。

2014年秋の時点で原発事故による福島県内外の避難者数は13万人を超えていた。未だ、故郷を追われ、帰還の見込みさえつかない人が大勢いるんだということを伝えたかった。SNSへも同様の書き込みを行ったと思う。

「堀さん、被災地を想ってくれてありがとうございます。もっと伝えてください」という声をもらう一方で、批判も受けた。会津地方を訪ねた時だ。観光へのダメージが深刻だった。温泉街は客の減少に悩んでいた。会津若松で商店を営む若手経営者からはこう言われた。

「堀さん、いつまで被災地は、被災地は、って言うんですか？　福島は辛い、苦しい、しんどいって。福島の原発事故が、放射能が、って。この数年間、私たちが風評被害と闘ってきたのは知っているでしょう。福島県は広い。原発とここは100㎞も離れてる。事故直後だって、放射線の値はこの辺りは堀さんが住む関東とほとんど変わらなかったんじゃないですか？　福島は、福島はって、そういう伝え方はもういいんじゃないですか？」

全くその通りだった。福島県は広い。本州では岩手県に次いで2番目に広い県土を持つ。原発のある浜通り、中通り、会津とぞれぞれの地域で原発事故の影響も、復興の速度も異なる。現場を訪ねながらそうした違いも伝えていたはずなのに、私は知らず知らずのうちに「福島は」という主語を使っていた。そして、様々な人たちを傷つけていた。現場の努力をふいにしてしまう発言をメディアで繰り返していた。その度にSNSでは賛否の声が沢山寄せられた。「福島を忘れるな。被災地を忘れるな」「いや被災地ではない、復興も進んできた。明るい話題を取り上げるべきだ」。異なる立場から様々な意見が寄せられた。「差別を生んでいるのは、あなただ」。そんな声も寄せられた。その通りだ。乱暴な表現で、私は分断に加担していた。ある人からは拍手をもらい、ある人からは傷つけられたと悲しまれた。

それ以来だ。大きな主語ではなく、小さな主語を使うべきだと明確に思うようになったのは。

「福島県には今も多くの苦しんでいる人がいる」ではない。「福島県楢葉町のＪＲ竜田駅前で商店を営んでいた木村さんは、今も元の場所で営業が再開できるかわからず、避難先で考え込んでしまうことがあるという」。どんなことがあっても一人ひとりの固有名詞で伝えるべきだと痛感した。１００人いれば、１００通りの物語がある。読者の皆さんにも投げかけたい。あなたにとって被災地とはどこですか？　と。おそらく皆さんの胸のうちに浮かぶ景色はそれぞれ異なるだろう。ある人は原発事故の被災地、ある人は津波の、ある人は帰還困難者としてトボトボと歩くしかなかった東京。熊本地震かもしれない。豪雨災害の西日本、インドネシアやネパールかもしれない。大きな主語はとても主観的な要素

いつのまにか無自覚な自分が、分断をする側にいる。大きな主語ではなく、小さな主語で語り続ける。それが分断を防ぎ、手当てすることに繋がれば

を含んでいる。

大きな主語は私の暮らしの周囲で跋扈している。男は、女は、ＬＧＢＴは、若者は、年寄りは、政治家は、官僚は、日本は、韓国は、中国は、と大きな主語で語ってしまう言論に溢れている。果たしてそうして語られる現場に、真実はあるのだろうか。もし意図的に大きな言葉で煽動されたら、あっという間にそこに分断を生じさせることはできやしないだろうか。これが、今、私が最も警戒している事象である。だから私はどうしても伝えたい。複雑な問題の最前線から、小さな主語のそれぞれの物語を。

分断対談❶

「分断の時代を読み解く」

×社会学者・西田亮介

西田亮介（にしだ・りょうすけ／1983年生まれ。京都府出身。東京工業大学リーダーシップ教育院、リベラルアーツ研究教育院、環境・社会理工学院准教授。博士（政策・メディア）。専門は社会学、公共政策学。情報と政治（ネット選挙、政治の情報発信、ジャーナリズム）、若者の政治参加、情報化と公共政策、自治体の情報発信とガバナンス、ジャーナリズム、無業社会などを研究している）

経済格差を「体感」してしまう時代

堀　まず日本における経済格差の部分についてはどうお考えですか。世界を見渡してみても、トランプ現象だったりブレグジットみたいなことが起きた背景には、自分の生活が立ち行かないという思いがあります。

西田　我々の社会においても、経済格差を多くの人が感じるようになってきたのではないかと思います。ただ、実際に日本にこれまで経済的な格差がなかったかというと、そんなことはありません。例えば、佐藤俊樹さんという社会学者が２０００年に出した『不平等社会日本─さよなら総中流』（中公新書）という本があります。佐藤先生は、以前から日本には経済格差があったけれども、所得の低い人も高い人も多くの人が中流だと思っていたと指摘します。良くも悪くも、貧しくても大体みんなこういうもんでしょと思っていたということですね。

　今は実際のところ昔よりも格差が拡大傾向にあるとはいえ、激烈になっているかというと、おそらくそこまでではありません。いろいろ変わってはいるんですけど、格差自体は、他諸外国と比べて比較的緩やかな状況だということは変わっていないと思います。しかし、その格差が意識されるようになってきたのではないか。先ほどの言い方で言うならば中流意識が希薄化し、所得が少ない人たちも所得が多い人たちも自分たちは中流なんだと思えなくなってきている。そのことによって、我々の社会は経済格差を強く意識してしまう。一つにまとまっている必要があるのかどうかはわかりませんが、社会意識や格差意識が変化する中で、どうやって日本の社会を運営していくのかを問われていると思います。

堀　そうですね。不安感がありますよ、やっぱり。

西田　ありますよね。我々の一つ前の時代、つまり平成の時代は、昭和の理想が完成を見ると同時に壊れていった時代だと思います。平成の前半で、昭和の時代に構想した経済的な豊かさとシステムが完成されると同時に、我々の社会は、どこに移っていくのかはわからないけれど、変化を遂げている。

よくこれも引き合いに出すのですが、共働き世代が標準世帯モデルの数を上回って以来、その傾向はますます顕著になっています。一方で、シニアの規範意識はあまり変わらないままのようです。実態は変わっていっているものの、社会のインフラの整備は全然追いつかない。保育園の補充も進んで、昔より状況は良くなっているけれども、数は全然足りないと言われている。それから、非正規雇用の増加の問題も大きいでしょう。今は働いている人の4割くらいが非正規雇用になっているわけですよね。そうすると、年功序列的な賃金の上昇は期待できないし、それどころか職業スキルの向上も期待することが難しいかもしれない。正社員の終身雇用モデルだと、会社が研修や配置換えを行いながら、どうやって人材を発達させていくか、スキルを開拓していくかというのを考えてくれたわけですよね。しかし、もうそれもない。昭和的な処方箋とか、平成的な処方箋が通じない時代になっている。そういう状況を、見通しが利きにくい時代だということで、予見可能性が低下している時代なんじゃないかということが言えそうですね。

堀　予見可能性が低下しているというのは、不安感が強まる?

西田　不安だと思いますよ。もちろんコインの裏表みたいなもので、将来がどうなるかわからないからワクワクするという人もいるかもしれない。

個の時代は自己責任の時代なのか

堀　今回の映画の中ではそうした分断を読み解いていく装置として、一つの経済の仕組みだったり、やはり生業が立ち行かなくなるという現象を、各現場で描いていきました。そういった状況で、この生業というのは一体誰がその保障をしていくのか。自分で気付ける人はそれこそ、チャンスだと言いますが、それで良いのか。
西田　海外に出ていくとか、そういうことを考えられる人は良いのだと思いますけど、それができる人は多くないですよね。僕は先ほどの予見可能性のような議論とあわせて、オピニオンリーダーの社会の利益相反ということを言っています。要はオピニオンリーダーの変質です。
　昔のオピニオンリーダーというのは〝社会に貢献するべく〟自分の意見を言っていた。自分が時には損を被っても、社会全体の公益を考えられる人がオピニオンリーダーでした。司馬遼太郎の小説『坂の上の雲』ではないですけど、そういうところがあった。今のオピニオンリーダーは、むしろ自己責任みたいなものを積極的に言っていく。
堀　合理化、効率化。そうじゃないものは、馬鹿の一言で片付けられてしまうような。
西田　そうですね。だけど、実際には先ほど言った通り、今の社会の変化というのは、多くの人たちにとってチャンスが増えていくようなポジティブな予見可能性の低下ではなくて、否定的な意味においての予見可能性の低下です。繰り返しになりますけど、消費税率も社会保険料も上がる状況です。日本経済と雇用が強かった時代も終わりました。
　例えば家計の所得ですが、子育て世代、全体の平均、シニア世代の3階層で見た時、どの世代もほぼ横ばいか微減がトレンドなんですけど、シニアだけやや微増といったところです。そうすると現役世代の負担感が高くなっていることは疑えないですよね。だから、頑張りにくい、頑張っても報われにくい社会だと思いますよ。よく思うのは、我々の社会が経済的に良かった時代、あるいは相対的に優位だった時代に我々の社会を変えておけば良かったということです。平成の前半、1990年代の後半から2000年代の頭くらい、団塊ジュニアが社会に出ていくような時期に大きく社会を変えていれば、今と全然違ったシナリオがあったと思うんですけど。当時の意思決定者たちはそうしなかった。

堀　社会保障や年金や、そうした仕組みも含めてですね。

西田　今はもう国も政治も経済も、投資する気がない。現役世代の負担は増す一方です。そんな状況で自己責任で世界に飛び出て頑張れと言われても辛いものがあります。しかも、個々の主体の競争力で見ると、良くも悪くもおしなべて弱いわけですよ。

僕の研究室の学生は留学生が大半で、特に中国からの留学生が大半なんですけど彼らは当然中国語ができる。そして英語も我々よりはるかにうまい。その上日本語もできる。これは何を意味するかというと、彼らはGDPで世界1位、2位、3位の言語を流暢に話せるということです。彼らはまさにこれから令和の時代には、例えば普通に中国で働けます。多くの人は日本で就職をしたいと思っているから、日本に留学しているわけですけど、いざとなると英語も我々よりはるかにうまいので、アメリカでもいいかもしれないしオーストラリアでもいいかもしれないけど、働けます。日本もなんだかんだ言いながらＧＤＰ世界3位の今の地位は、まだしばらくの間続くと思いますが、個々の人材で見た時に、やっぱり我々は一人がとても弱い。世界的な競争力、ありますかね。かつての豊かさの代償だと思いますが、そういう人がたくさんプールされている状況で、今から世界に出て多くの人が世界的な競争の中で打ち勝っていけるかというと無理ですよね。普通に考えて。

堀　確かに。それは実は、自由というものも含めて選択肢が狭められているというか、籠の中に捕らわれているのとあまり変わらないのかもしれないですね。

西田　そうですね。だから、別のやり方を考えなければいけない。競争ではない共存共栄の方法というのを考えないとダメだと思うんですよね。

　これは僕の見ている範囲の話ですけど、日本が強くない時代においても、なぜ中国から学生が日本に来るかというと、中国の超競争社会に疲れた子たちが来るんですよ。もちろん、もともと日本のアニメとか文化とかドラマが好きな子は多いんですけど、それよりも中国社会はやはり学歴至上主義で、昭和の日本より激しい感じだと思うんですね。とにかく子どもの頃から競争して、いい大学に入って、そしていい会社に就職して。中国のＩＴ企業では「朝9時から夜9時まで週6日」働くというので、「９９６」と言うらしいんですけど、そういう状況がきついと。人間的じゃないと。でも日本に来ると全然違うから、日本に行こう、そういう人たちもいるわけです。今後、中国が豊かになればもっと増えるかもしれません。

堀　なるほど。

西田　そういう人たちやニーズをしっかり把握するべきです。観光もそうだし、大学もそうです。日本の大学の世界ランキングが低いのは、国際化の地位が低いわけだから、そういうオルタナティブな人が来てくれるのは良いことです。留学生の数が増えると国際性の評価も改善しますから。

ハングリー精神を失った我々が単に新興国の人たちと競争するのは所詮無理な話だから、共存共栄のあり方を模索すべきだと思います。

なぜリーダーは「自己責任論」をとるのか

堀　分断にも様々なものがありますけど、誰が、何がそうさせたのか？　その正体を明かしていけたらという想いで取材を始めたんですね。だから先ほどの、国際競争力を失っているとか、いつの間にか個人の力が抗えないほど弱って、そして社会が変わっていった、意識が変わっていった、オピニオンリーダーの意識も変わっていったというのは、何がそうさせていったのでしょうか。

西田　単一の原因ではなく、多くの要因が複雑に絡み合っているように思います。

チャールズ・ライト・ミルズという社会学者が『パワー・エリート』という本を書いているんですね。様々なステークホルダー、各界のリーダーたちを「パワーエリート」と形容しているのですが、彼らが独自のネットワークを形成して、自分たちの利益のために行動を始めるという、50年代のアメリカを描いた作品です。

社会が貧しかった時代には社会の恩恵をたくさん受けて自分がエリートになったという感覚があって、故郷の意識ではないですけど、海外に行っても最終的には自分の国に帰って来て頑張るとか、おそらくそういったことが自明だったんでしょうね。

今の中国はもしかしたらそうかもしれない。海外で学位を取って成功して、ビジネス的に学術的に成功して、ぐるっと回って頭脳が還流していくようなイメージです。中国ではそういう人のことを「海亀」と言うそうです。

日本も昔はそうだったのではないでしょうか。昭和後期は、個人の所得税の最高税率が住民税と合わせると9割に近かった。いろいろ迂回の仕組みはあったにしても、エリートたちは、所得の大半を国に持っていかれたわけですよね。しかし、そうだからこそエリートは、自分たちが国と社会を支えるエリートだという意識があった。今だとそういう意識が薄れていて、しかも社会は高い消費税率を課す、所得も持っていかれる、日本の社会としての競争力も世界的に見ると落ちている。そういう状況ですから、自分が成功したら自分のおかげという感覚が強まっている印象です。それに続く自分たちも頑張ったんだから、お前たちも頑張れと、そういう感じがする。

堀　まさに。そんなはずじゃなかったのにという感じの。

西田　自分たちの利益の最大化のためには当然、法人税率は低い方がいいし、所得税率も低い方がいい。国が破綻すると自分たちの財産も消えてしまう可能性があるから、財政再建しなければいけない。それはすなわち、高い消費税、公的支出の削減、医療費の自己負担や生活保護水準の引き下げ施策が必要になるから、一般の生活者にとっては負担が増えていってしまうんですよね。そういう社会システムのインセンティブのあり方というのは、リーダーの人たちと一般の人たちでは、どんどん乖離《かいり》していっている状況にあると思います。リーダーは社会の公益のために振る舞いにくいし、現実として振る舞わなくなっている。こうしたオピニオンリーダーと社会の利益相反と自己責任論の台頭は呼応しているように見えます。

公共に対しての軸のない社会

堀　本来であればそういったことを解消するための大きな施策は特に国の役割が大きいと思うんですよね。その国の役割をコントロールするのは本来は我々であるべきなんですが、実際には、我々はフルスペックで一応民主主義の仕組みを持っているものの、実際にそうした現象に対処できずにきてしまった。そういった民主主義と、経済的な分断のジレンマはどう解消していけるんでしょうか。

西田　どう解消するのかは、ある種の実践の妙みたいなところがあるのでとても難しいですね。一つの鍵は我々の社会は政治に関心を持っている人、政治の知識を持っている人の数がとても少ないということだと思います。大人に聞いても、たぶん学生に聞いても、自民党がどういう政党なのか、これまで何を主張してきていて、どういうことをやってきたのかとか、具体的に説明できる人ってほとんどいないと思うんですよ。野党も同様です。

　現実の政治について理解して自分の政治的な決定を行うための知識と考え方を養う機会が、我々の教育の中にほとんどない状況なんです。この状況は問題だと思います。それぞれの政治家の同時代における主張を聞きながら、選挙で選択を行うわけですが、多くの人がその内容についてしっかり調べたりはしないわけですよ。パッとテレビで見て、「消費税増税是か否か」「国立大学の授業料を上げるのは是か否か」みたいなことを問われる。その政党がこれまでどんなことをしてきたのかという知識はない。そこを補完する仕組みは教育の中に必要ではないかという気がしますね。

少し抽象的に言うと、市民をどのように育てるのかという構想です。〝citizen〟をどうやって育てるのか、公共性を持った市民をどのように育てるのかということを、我々は昭和時代から考えてこなかったし、そのための装置を社会の中に埋め込むということを怠ってきた。もちろんこれはとても慎重にやらなければいけません。なぜならそれは、愛国教育みたいなものになりがちだから。実際に今行われているのは、市民を育てるというよりは、道徳心や愛国心を涵養《かんよう》するようなことばかりです。

堀　国家を形成していくことに教育が使われる。

西田　だけど、本来必要なのは、政治的な主体をどう育てるのかということについて、社会の中で議論し、政治の影響をなるべく廃しながらその再生産の仕組みを教育の中に埋め込んでいく作業です。生まれながらに政治の知識を持っている人はいませんから。

若い人たちの政治に対する無関心や投票率の低さは直ちに問題だとは言えません。例えば保育園がないとか、子育て支援が少ないといったことを歳を重ねるに連れて知って、徐々に政治参加もしていくというのが現実ですよね。

我々の社会の投票率は20代が低く、30代、40代と徐々に投票率が上がっていく状況が続いています。政治学のスタンダードな学説によると、若者の政治への無関心や投票率の低さはそんなに問題ないという考え方もあるんです。それに、日本の若年世代の投票率は、北欧や一部の欧州と比較すると確かに低いけれども、アメリカなどと比較するとそうでもないんですよね。だから、直ちに問題とは言えない。

ただし、懸念すべき点もあります。それは、前述の政治的市民をどういうふうに育てるかという、その構想とプログラムを持っていないということですね。もう一つは、1970年代と現代の投票率を比べると、20代の投票率で比較した時に、半分くらいになっていることです。1970年代の20代はしらけの世代と言われていますが、当時の若い人の投票率は、それでも70％くらいある。それが今は30％ですからね。同じ20代を過去50年で比較した時に半分になっているというのは、少々不安です。

堀　政治不信があったりとか、いろいろありましたもんね。

西田　そうですね。自分の一票が政治を変えると思うかどうかという主観を問う「政治的有効性感覚」という概念があります。この政治的有効性感覚を他の国と比べた時に、我々の国は低いことが知られています。一票が政治を変えない、社会を変えないと思う人が多いと言われています。

堀　公共に対しての軸のない社会。

西田　そうですね。

堀　これは放置しておくとどのような未来になっていくんでしょうか。

西田　分断が進んでいくんじゃないですかね。やっぱり政治というのは何かを成し遂げるための一つの機会ですよね。主張を持っている人たちが集まって何かをする。しかし実際に新規に政党を作ったりする時にコストがとても高いので、他の政党やその政党を支える利益集団などに組み込まれていって、必然的にそこを介して政治的な申し立てをしていくという形になるわけですね。

しかし、先ほど申し上げたように人々はそもそもがバラバラになっていくというか、個人化している時代です。政治に対して信頼が失われ政治参加しない人が増えると、政治に対してものを言いたい人、ものを言って得になる人たちだけがものを言い続けるような状況になって固定化されます。それは良くないですよね。

受け取り手を失った真実はどこにいくのか

堀　映画ではメディアについても少し触れていますが、本来であればメディアが、そうしたバラバラになったものが集う場であったり、公共的な価値に関して考えてもらう情報の発信をしなければならないと思います。そのようなことは特にテレビが担うべきなのかなと思うわけですが、現状は誰のために情報を出しているのかわからないという、非常に方向感覚を失った状態があります。

西田　そうですね。メディアは僕も重要だと思います。バラバラになった個人がいきなりつなぎ合わされていくということはほとんどあり得ない。そういった背景から教育が重要だということも言っていますけど、仮に公民を育てるような教育制度が導入されたとしても、その影響というのはとても弱いんですよ。なぜならその教育は、今学校にいる人やこれから学校に入る人しか受けませんから。すでに社会に出ている多くの人たちがいるわけですから、影響力を持たないわけですよ。だからこそ、そういった人たちに情報を発信するメディアの役割は重要です。

我々の社会はかつてマスメディアによって繋ぎ合わされていました。良くも悪くも、です。しかしその状況も大きく変わろうとしています。これは視聴行動もそうだし、力学の変化もそうだし、要するにインターネット化ということです。中でも日本で権力監視を担ってきた新聞は確実に読まれなくなっていますよね。

社会とか公共みたいなものを考える時に、日本では新聞が取材網、ノウハウ、人材育成の3つを握ってきたという歴史がありますが、その中でテレビ局における権力監視に対する姿勢には、なんというか「新聞社があるでしょ」という意識も垣間見えて、そんなに強靭なものとは言い難い印象がある。新聞が担ってきた権力監視機能を、誰がどうやって、担うかということを考える必要があります。

堀　インターネット化ですよね。テレビ報道というか、情報というのがね。

西田　ネットメディアは独自の速報体制をほとんど構築できていませんので、マスメディアにおける発表報道以上に、2次情報とオピニオン中心になりがちです。ネットメディアは安定感と信頼感に欠けますよね。もちろん個人の書き手はいますけど、じゃあ個人をどうやって信頼するのかというのは経験的なものであって、システムではないですよね。新聞社のような取材網があるわけでもない。ハフポストやバズフィード、Yahoo!といったネットメディアもありますけど、媒体ごとの独自の取材ということで言うと弱いわけですよ。ネットに権力監視もなにもない。そういった役割は基本的には新聞と、たまにテレビが担ってコストを負担してきましたが、そこが存在感を失っていっているという難しさがあります。

堀　なるほど。

西田　誰が人々の側に立って、人々のためにちゃんと権力を監視して、あるいは分断を防ぐような情報を得るのかといった時に、昔はみんな新聞しかないから新聞を読んでいた。良くも悪くも新聞を読んで、テレビを見ていた。共通のものを見ていたんだけど、その共通項は機能しなくなっています。これは影響力だけでなく、やはり信頼面で見てもそうだと思います。

堀　社会の公器なんて言って、器でもなくなっちゃいましたね。

西田　新聞がまた読まれる時代はもう来ないと思うんですよね。親も読む習慣がないし、親が読む習慣がない子どもが読むわけがないですよね。

堀　映画の中で「受け取り手を失った真実はどこにいくんだろうか」というナレーションを入れたんですけど。

西田　面白いですね。

堀　撮ってきたものがどこにいくのかもわからないし、そもそも何が情報なのかということすらわからず、浮遊している。

西田　情報が我々を混乱させるんですよね。構図は明らかに変わっている。昔は多くの情報に触れることが重要だと考えられていた。だけど、そう言っていたのは、限定された情報にしか触れることができなかったからです。限られたメディアからどのように多様な情報を得るのかということが重要だったわけです。

今は逆に、良くも悪くも多様な情報がある。だからどうやって人々の共通項を作っていくのか、ある種の公共的なものを立ち上げていくのかというのが問題になっています。

昔はある種、共通のものが自明だった。例えば、政治について論じるのであれば、オピニオンリーダーたちは全国紙、各紙に目を通して、月刊誌であれば『世界』を読んで、『中央公論』を読んで、『文藝春秋』に目を通して、テレビだと『ニュースステーション』や『ＮＨＫニュース』を見て、それで「さて、憲法改正が是か否か論じましょう」「湾岸戦争への自衛隊派遣、ＰＫＯ参加の是非を問いましょう」ということを言っていたわけですよ。共通項が自明だった。今は共通項が自明ではなくなっている。だから何かについて考える時には、共通点はなんなのか、同じ単語や概念を持っていても、本当に意味を共有しているのかいちいち確認する必要が生じている。議論のコストが上がった時代だからこそ、そのコストを誰が、どのように負担すべきかも考え直す必要があるということです。

第2章

香港で起きている分断

２０１９年、香港の街が壊れゆく様子に、涙が止まらなかった。世界有数の観光、金融都市は、催涙弾の白煙に包まれ、至る所で炎に包まれた。銃を構え武装した警官隊による激しい弾圧によって、若者たちはレンガと火炎瓶で対抗せざるを得なかった。

香港人と経済

暴力による攻防は、世界に報じられた。逮捕者は半年で６０２２名。負傷者の数は計り知れない。命を落とした人々もいる。権力の横暴に立ち向かう10代の少年少女の姿さえそこにあった。右目に被弾し、失明した女性もいた。右目を手のひらで覆い、連帯を呼びかける運動が市民をより強く結びつけた。

光復香港、時代革命
〈香港の栄光を取り戻せ、
今が革命の時だ〉

このスローガンは、香港の今を語る上で欠かすことのできない文言の一つだ。

1997年、香港はイギリス統治から中国に返還された。一国二制度の「特別行政区」として、2047年まで50年間、民主主義的な自治を認めると国際社会に向けて公約した。ところが、今、香港の民主主義は後退し中国による同質化が進む。

2014年、一人一票の普通選挙制度の導入が予定されていた「香港行政長官選挙」は中国共産党の決定により、民主派の候補が立候補できないよう制限を加えられた。これに反発した学生たちの反政府運動「雨傘革命」は警察による強制排除で成果を得られないまま収束した。

香港の民主主義は以来、撤退戦を強いられることになる。

2019年2月、親中派の林鄭月娥行政長官は、逮捕した容疑者を中国本土に引き渡すことができる「逃亡犯条例改正案」の提出を発表。中国当局による香港への干渉が強まることへの懸念から「反送中」をスローガンに反対運動が始まる。

雨傘革命で逮捕されたリーダーたちも中国本土に引き渡される可能性があった。公正な裁判を受ける権利さえ剝奪されるのか。香港市民の不安と怒りは潮流を生み出しつつあった。運動の輪は瞬く間に広がった。

デモ隊がかかげる「光復香港、時代革命」のスローガンには、民主化を希求する香港人の想いが込められている。運動の最前線に立つのは国の未来を担う若い世代だ

６月、中心街でのデモは主催者発表で１０３万人、警察発表でも24万人を超える人々が声を上げた。顔や名前が知られると中国当局の監視下に置かれ、逮捕や監禁の恐れもあった。マスクで顔を覆い、黒い衣服に身を包み個性を隠すことが、若者たちの連帯の表れだった。声を上げながら、仲間を守る。こうした姿勢は香港当局にとって、多大なる脅威と映ったのだろうか。これらのデモ以来、香港警察による熾烈な弾圧が始まる。

催涙弾を放つ銃は水平射撃に変わり、直接市民に向けられるようになった。背後には中国共産党の指示が垣間見える。放水車両から放たれる水は「青色水」と呼ばれ、化学薬品の成分が含まれている。焼けただれるような痛みを伴う。強烈な水圧で排除され、頭蓋骨を骨折する記者もいた。

警察の軍事化は進んだ。国際社会からの批判をかわすため、兵器を使うことはしない。軍も出動することはない。しかし、警察を重武装化し、軍人を警察に送り込むという所業も指摘されてきた。非人道である。

そうした中、秋、学生たちが拠点とした大学は戦場になった。中文大学、理工大学では逮捕者が相次いだ。日本のメディアは「学生たちが立て籠もっている」と報じていたが、実態は違う。若者たちは大学の外に出られなかったのだ。入り口には銃を構え、武装した警察官たちが暴力による取り締まりを実行していた。民主主義は風前のともし火だ。

２０２０年１月、この原稿を書いている今も、若者たちは政府に対し「五大訴求」と呼ばれる、５つの要求を掲げ運動を続けている。

「逃亡犯条例改正案の完全撤回」「普通選挙の実現」「独立調査委員会の設置」「逮捕されたデモ参加者の起訴取り下げ」「民主化デモを暴動とした認定の取り消し」だ。運動に参加する若者たちに「あなたにとって民主主義とは何か？」と尋ねると、返ってくる答えがある。

「それは、香港人であること」

逃亡犯条例はきっかけにすぎない。1日150人とも言われる中国からの移住者によって、香港の経済、文化、教育は根底から変容しつつある。もちろん、民主主義もだ。広東語は北京語に変わり、資本の中心は中国に取って代わられ、香港人は就職口に悩み、低賃金に喘ぎ始めているという。家賃の高騰は住む場所の選択肢を奪った。彼らがなぜ、命をかけ運動の最前線に立ち続けるのか、彼らが守ろうとするアイデンティティとは何か、現場で何が行われてきたのか。まずは、知るだけでいい。香港人たちの声に耳を傾けてみたい。

ウィリアム・リーさん

香港の郊外。デモに参加するという若者の自宅を訪ねた。

カメラを向けると「26歳、平成5年生まれです」と、得意げな表情でその青年はまっすぐこちらを向いた。ウィリアム・リーさん。流暢な日本語での自己紹介。「平成」のイントネーションが美しかった。2年前に香港を出て、今は日本で働いている。東京と香港を往復しながら双方で街頭に立って、五大訴求の実現を訴えてきた。

この日は、香港島で兄と共にデモに参加するため身支度を整えていた。日本で集めた沢山の応援メッセージのカードを持ち帰り、デモの会場で掲示するのが目的だった。

自宅の書棚にはぎっしりと漫画本が並んでいた。日本の漫画だ。日本語を独学で学ぶきっかけになった。

見せてほしいと頼むと、取り出してくれた一冊一冊は、まだビニール袋で丁寧に包装されていた。

「ここにある単行本は古いものばかり。もう亡くなってしまった先生の作品などがあります。まだ開けていません。手に入りづらいものです。私が中学生の頃に流行ったもので、漫画に描かれている『希望』というテーマに当時から憧れがありました」

ウィリアムさんは、デモに参加する若者の中では珍しく、マスクをせずに素顔を晒して自らの訴えを発信してきた。理由は明快だった。

「アイデンティティが警察に知られてしまうと就職に影響が出たり、マスク禁止法によって逮捕されたり様々なリスクがあります。しかし、私はすでに働いていますし、逮捕されたとしても信頼する兄がいます。両親の面倒は兄がいるので安心して任せられます。それよりも、私は覚悟を持って、しっかりメッセージを伝えたい。マスクをしていると、表情がわからない。みんな、私の真剣な顔を見てくださいと。言葉は時に伝わりづらいこともありますから。仲間のためにも恵まれた環境の私がリスクを背負いたい」

ウィリアムさんは、2014年の雨傘運動にも参加していた。運動は警察の介入やリーダーたちの逮捕で収束した。「覚悟が足りなかった」と当時を振り返る。「今、香港人の間でよく言われる言葉があります。それは、『希望があるからやるのではない、やるから希望が生まれるんだ』というものです。中国を相手に希望がゼロに近いのは知っています。しかし、諦めたらそこでゲームオーバー。リセットはできないです。後には引けない。希望を作り出すことが大切なんです」と、ベランダから見下ろす香港の町並みを見つめた。

陳逸正（チン・イッセイ）さん

なぜ、そこまでの覚悟を彼らに背負わせているのか。さらに若者の自宅を訪ねた。

25歳、陳逸正さん。雨傘運動の頃は20歳。大学2年生だった。父親は民主主義への関心が高く、幼い逸正さんを連れて平和的なデモに参加していたという。大学の寄宿舎では友人たちが政治運動に没頭していた。香港への影響力を強める中国の政治的介入に、「このままではやばい」という気持ちが高まっていったという。

香港人にとって一番大切なものは、自由と民主の価値観だと語る。小学生の頃から学校で教えられてきたのが大きい。言論の自由、信仰の自由、様々な国籍の人たちが、ありのままで居られる環境こそが香港だというのが誇りだった。「東洋の真珠」と呼ばれた香港のアイデンティティだ。

一方、仕事やお金の問題が切実だとも打ち明けてくれた。大学を卒業しても、安い賃金の仕事しか得られない、家賃が高騰して、家を借りるのも至難の業。未来を感じることができないと不安を募らせていた。

確かに、香港では経済格差が拡大している。歪んだ産業構造がその背景の一つだ。香港経済の中心は金融と不動産に偏っている。かつては香港に集まる外貨が中国を支えたが、今は逆だ、香港にチャイナマネーが注がれるようになった。一部の財閥に利益が集中する仕組みができ上がってしまっている。香港の住宅は、富を得た中国人の投資対象になった。

スイス金融大手ＵＢＳの「グローバル不動産バブル指数」によると、今、香港は世界で最も住宅価格が高い都市のひとつだ。２００８年以降、２倍に膨れ上がっている。香港統計局によると、現在、住宅を所有している世帯は半数以下に留まった。これは、過去20年間で最も低い割合だ。住宅の平均価格は１億３０００万円。平均的な家計所得の20倍という高さだ。

働いても働いても更新される高い家賃の支払いに追われ、家を購入する資金が貯まらない。金融や不動産以外の産業への投資を怠ってきたという政府への不満も聞かれた。香港に隣接する、中国側の都市、深圳（シンセン）のようにハイテク産業が育っているわけではない。大学卒業後の選択肢は金融街であるセントラルで働くホワイトカラー、そうでなければ警備員や皿洗い、清掃員などのブルーカラーという二者択一しかないと悲観する声も聞いた。非正規雇用を選択する若者が増えている。

取材中、逸正さんの両親が挨拶に部屋を訪ねてくれた。息子さんとの写真を撮りましょうか？　と提案すると、はにかんだ母親が息子の肩を大事そうに抱きよせた。逸正さんに、雨傘運動以降の大きな変化は何か？　と聞いた。大きかったのは、母親が政治に関心を持つようになったことだという。息子たちが大学を卒業し、どう自立し、自己実現していくのか。親としてひしひしと子どもたちの選択肢が狭まっていくのを感じるようになったという。自由とは何か。それは公正であること。公正とは何か。それは選挙によって多様な人たちが立候補し、選ばれ、それぞれの立場から知恵を出し合い香港人の暮らしが良くなることだという。逸正さんは、これまで政治に関心がなかった母親が、暮らしの問題として政治を捉え､若い世代の未来を共に良くしようと声援を送ってくれるようになったのが、何よりも力になると語った。雨傘運動に対しては上の世代は冷ややかだった。今回の運動は違う。成功の鍵はそこにあると、希望を見出した。

19歳の女学生（匿名）

一方で、両親との対立に悩みながらデモの最前線で戦う少女たちに出会った。11月、私は香港郊外の中文大学を訪ねた。前夜、武装した警官隊との衝突で大学が戦場になった。催涙弾と火炎瓶の応酬。学生たちは警察車両の進入を防ぐために大学と一般道を結ぶ橋にバリケードを作り、そこが主戦場になった。激しい放水、雨のように降り注ぐ催涙弾。闇夜が真っ赤に染まった。マスク姿の若者たちは身体を寄せ合い傘をさして声を掛け合った。中文大学には香港のインターネット網を繋ぐ重要な施設がある。学生たちは大学が当局の管理下に置かれれば、発信の自由を失うという危機感から、一歩も引いてはいけないと、命がけの攻防を明け方まで繰り広げた。その様子をSNSで見守っていた私は、翌朝、香港に飛んだ。バリケード近くで日本から来たジャーナリストだというと、マスク姿の若者たちが「こんにちは！　日本人ですか？」「日本人！　ようこそ」と何人も話しかけてくれた。取材をしたいというと、バリケードを潜るための裏道を案内してくれ、校内に入ることができた。大勢の学生たちが武装警察の襲来に備え、慌ただしくブロックを運んだり、水や食料を仲間たちに配ったりと、まさに戦場の最前線のようだった。ほぼ全員が上下黒の衣服に身を包み、顔を覆っている。異様な光景だが、「日本！　大好きです」と話しかけてくれる声はあどけなかった。

19歳の女学生が顔と名前を伏せてくれるなら、という条件でカメラ取材に応じてくれた。彼女は日本語を話すことができた。9月まで京都の同志社大学に留学していたという。日本の文化に惹かれたからだ。日本での日々は充実していた。ところが母校に戻ってみると友人たちが戦っていた。穏やかだったキャンパスが催涙ガスにまみれ、焦げ臭さに包まれていた。「大学は私たちにとって家のようなものです。家にいる友だちは家族です。家族が傷ついている。いてもたってもいられず、私も最前線に手伝いに来ました」。20分以上だろうか、彼女はカメラの前で想いを語ってくれた。民主主義とは何か、警察がいかに暴力的か。そして、京都の友人たちが沢山心配しているとメッセージをくれること。一通り聴き終えカメラを置くと、彼女はポツリとこう言った。「今朝、お母さん、お父さんとは大ゲンカしました。泣きながら家を飛び出し、ここにやってきました」。理由を尋ねると、彼女の両親は中国の企業と貿易をして生計を立てていた。デモには批判的だったという。自由のために戦いたい、最前線の友達を支えたいと打ち明けると、母親は声を荒らげて反対したという。心配もあったと思う。しかし理由は、経済だった。中国とのビジネスがあるから香港生まれの自分たちの豊かさが手に入った、その面に目を向けなさいと叱られた。あなたが大学に行けるのもそのおかげだ、という言葉に彼女は抑えていた感情が弾け飛んだ。「お母さん、私は感謝しています。でも、経済よりも大切な価値観があるんです。私はそれを日本で学びました。自由であること、人権が守られることは何ものにも代え難い大切な価値なんです。私は、大学に行きます」、そう言い残して、大学に向かうバスに飛び乗ったと打ち明けてくれた。

経済的安定か、それとも自由か。本来対立する概念ではないはずのものが、ぶつかり合っていた。

ホーさん（仮名）

もう一人、デモに参加する若者が、覆面姿で取材に応じてくれた。20代の男性。名前は「ホー」と名乗っている。数ヶ月前、デモに参加して警察に追いかけられた際に、身の回りの荷物をリュックサックごと紛失したという。そこには身分証明書も入っていた。いつ家に警察がやってきて捕まるかわからないと、正直怯えていると言っていた。それでも、インタビューを通じて日本人に伝えたいことがあるというので約1時間かけて話を聞き取った。

ホーさんはデモに参加する理由は「2047年のためだ」と語った。香港の主権が完全に中国に返還される年だ。その頃、香港がどうなっているのかは想像もできないという。しかし、今、声を上げておかないと、20年後、30年後の香港に自由と民主は存在しないと断言する。この20年間は準備期間。自分たちの思っていることを中国政府に伝え続けないといけないと考えていた。そうしないと、香港人も変質してしまうからだという。香港は、中国本土から毎年5万人の移住者を受け入れ続けている。現在、750万の人口のうち、およそ150万人が、この30年あまりで中国本土から来た人たちになった。入植だ。親中派の市民との対話が必要ではないか？　と聞くと、しばらく考えてから言葉を選び「そもその教育が違う。お互いの価値観はわかり合えない。違いは根深いと思う」と語った。

学校教育への影響は深まっている。2012年、中国政府が定めた〝愛国教育〟を盛り込んだ「中国模式」を、香港の学校で必修化しようとしたことがある。「中国模式」とは、中国共産党が覇権を広げるために選択してきた中国独自の発展モデルを指す。結局、導入は各学校の任意となったが、そもそも教室には「新移民」と呼ばれる、中国からの子どもたちが増え続けている。香港は広東語だが、北京語しか話せないという子どもも増えている。ホーさんは言う。香港が新疆《しんきょう》（ウイグル）に対して行っている同化政策で、今の香港らしさが完全に失われるのが怖いというのだ。教育訓練を施され、言語も、文化も変容してしまう未来。

こうした未来にどう抗えばいいのか。「無力感があります。香港は中国の制度の中にあり、自分たちだけでは変えることができません。中国が国際レベルについていくためには、経済だけではいけません。人権、自由、政治の面でも国際的なレベルに達していかないとだめです。だからこそ、アメリカや日本からの圧力が必要なんです。日本人の皆さんには、中国の経済に負けないでほしいです」。

ホーさんのこの言葉を、私は複雑な思いで聞いていた。香港の状況をどれだけの日本人が知っているだろうか。日本も今格差に喘ぎ、長引くデフレによる賃金の低下に悩んできた。経済成長への模索が続くが、巨大な経済圏を築きつつある中国の存在に、日本政府も強く出られない。その象徴的な出来事が、２０２０年に予定されている、習近平国家主席の国賓としての招待だ。

デモの現場で、大きな日の丸の旗を振っている青年に意見を求めたことがある。日本に何を求めるのか？「明日の香港だという危機感で、まずは私たちのことを知ってほしい」。

メディアで発信する私は香港のこの温度感をきちんと伝えられているだろうか。自問しながらの取材を続けている。

最前線にテレビカメラがいない

２０１９年の6月から始まった若者たちを中心とした香港の抗議運動は、拠点となった中文大学や理工大学が当局側によって制圧され、数千人規模の逮捕者や多数のけが人を出す結果となった。大学が燃え、中学生や高校生を含む10代の若者たちが民主主義の価値を訴え闘う姿に胸が締め付けられる思いでカメラを向けた。

私はその年の7月末より香港を継続的に訪ね撮影を続けてきた。武装した警官隊との衝突が激しくなった9月以降は週末毎に現地と東京を往復しながら、デモの最前線で撮影を続けてきた。警察が発射する催涙弾の雨を掻い潜りながら、防毒マスクを着用しての取材だ。この原稿を書いている数日前も拠点となった各大学で運動の最前線を取材し帰国したばかりだ。

黒いマスクや衣服を上下にまとう若者たちの素顔に迫ろうと、彼らのアイデンティティに焦点を当てたインタビューも企画し聞き取りを続けている。

日本のテレビ報道では「若者の暴徒化」という表現が目に付くが、正確ではない。多面的に伝えなくては誤解を生む。確かに、地下鉄の改札を破壊し、信号機を壊し、バリケー

怒号と催涙弾が飛び交い、香港の街は荒れた。「自由」と「民主」か「経済の安定」か。対立の中で多くの者が傷ついた

ド越しに火炎瓶を投げ込む若者たちの姿が人々にそうした印象を与えるのは否定しないが、それは一面的な見方にすぎない。

　私が見た現場はまさに「警察の暴力化」だった。デモ隊や取材記者には催涙弾が撃ち込まれ、放水車からは水圧の高い水が放たれる。観光客でさえ顔にペッパースプレーを吹き付けられたりもする。逮捕の際には必要以上に警棒で殴られ、顔を踏みつけられる様子も目の当たりにした。

　私がインタビューした26歳のウィリアム・リーさんはその日の夜、ショッピングモール内で行われた平和的なデモで、突然踏み込んできた警官隊によって逮捕された。普段仕事の事務作業でも使う文房具のカッターがカバンに入っていたため、凶器と判断され逮捕された。警察車両に詰め込まれ、拘置所で48時間、外部との接触も閉ざされ拘束された。弁護士への連絡も自らではできない。不当逮捕だ、と声を上げたい事例が山のようにある。警官隊の実弾使用が公言されるようになり、西灣河（サイワンホー）の駅前ではデモ参加者の20代の若者へ、至近距離から実弾を腹部に撃ち込んだ。奇跡的に命を落とすことはなかったが、警察が暴力化しているのは間違いない。

話を聞いた10代から20代の若者たちはメディアの報道にこう主張する。「そもそもの発端は地下鉄で警察が催涙弾を直接撃ち込んできたこと。私たちのことをゴキブリだと言って排除を始めたこと。ヤクザがデモ参加者を襲った時に警察の動きが鈍かったこと。ヤクザの事務所の警備を優先したこと」。

9月に香港中心部から北に位置する屯門（トゥエンムン）でのデモを取材した際、警官隊は真っ先にエリア内にあるヤクザ事務所の入り口を封鎖し、周辺の若者たちを次々と逮捕していた。当局への不信感が募っていった。

警察による若者たちへの弾圧は激しさを増すばかりだった。現場では「警察官たちの間から北京語が聞こえるようになった」と疑心暗鬼も広がる。こうした状況に若者たちはせいぜい道路の舗装レンガを砕いて投石に使ったり、ビール瓶を加工して火炎瓶を作るなどして対抗するしかない状況に追い込まれた。

最前線での取材映像を提供してほしいと複数のテレビ局から依頼があり、素材の貸し出しを快諾した。併せてインタビューを撮影したいという申し出があり、現場の実情を伝えられるのであればと思い応じた。

その時に聞いた報道局のプロデューサーの言葉は忘れられない。「香港のデモは映像が全然ないんですよね。最前線はSNSの映像が頼りで。なので堀さんの映像、助かります」とため息交じりだった。安全管理上、催涙弾や火炎瓶が飛び交う最前線に撮影チームを送ることができない、というのが理由だった。同様の話はNHKのディレクターからも聞いた。香港に始まったことではなく、中東始め紛争地取材は同じような構図で現場取材はフリーランスの活躍の場になっているが、日本から飛行機でたった5時間あまりの香港でも同じことが起きるのかと思うと情けない。断片的な情報と出どころが確認できないSNS映像を使って、現場の声を直接聞いていないコメンテーターたちのいい加減な評価によって、香港の運動が歪められていくのを黙って見過ごすわけにはいかない。最前線では、常にロイターやBBC、ブルームバーグなど海外メディアの記者たちが若者たちと車座になって丁寧な聞き取りをしているのを見ると余計に歯がゆさを感じる。現地では今、記者の逮捕も横行している。プレスパスを下げていても、偽記者だろうと呼び止められ逮捕されるケースが後を絶たない。日本のテレビや新聞社などの大手メディアのプレスパスは記者の身を守る効力が絶大だが、フリーランスはそうした後ろ盾がない。私が運営する市民メディア「8bitNews」では現地や日本から取材に入っているフリーランスの取材者たちを守るためにプレスパスを発行し、連帯して発信を行っている。

私が現地で出会った写真家のキセキミチコさんもその一人だ。彼女はザ・イエローモンキーやブラフマンなど、アーティストを専門に撮影するカメラマンだが、２０１９年7月、自身の個展作品の撮影のために訪れた香港で学生たちのデモに直面。思わず撮影を始めたところ、逃げてきた若者に「助けて」と腕を摑まれた。しかしその直後に若者は警察官に連行されていってしまった。目の前で起きていることに何も反応ができなかったと、責任を感じたキセキさんは仕事を休み、２０２０年2月まで香港に滞在を続け撮影を行うことを決意した。キセキさんは若者たちとの絶え間ないコミュニケーションによって、常に最前線での動きに密着している。それは彼女自身が報道だけでは伝わらない現場の実情があることを身をもって知ったからだという。なぜ若者たちが声を上げるのか？　彼女は若者達に問い続けてきた。逮捕された若者が釈放されたと聞くとインタビューに飛んでいく。警察官の家族が本音を語りたがっていると聞くと自宅まで訪ね、難しいインタビューを寄り添いながら実行してきた。毎日のように中国本土からの入植者が相次ぎ、今、香港の中国化は著しい。香港出身の若者たちは、就職口に困り、低賃金にも喘ぐ。家賃が高騰し、香港のマンション群は中国本土からの人たちが住む場所になった。学校教育ではアイデンティティである広東語から北京語への切り替えが進む。そうした生活や将来への不安が若者たちの思いの根底にある。逃亡犯条例改正案はきっかけに過ぎない。

現地メディアによると、デモ参加者の36・7％がPTSD（心的外傷後ストレス障害）だという。警察による暴力行為は、若者たちの今後の活躍に影を落とす。キセキさんの取材では、13歳、14歳の少年少女たちが最前線にいることも少なくない。理工大学のキャンパス内でテントを張り寝泊まりしながらデモに参加していた三人組。マスク姿の目元には幼さがあった。「もし、香港がこんな状況でなかったら、みんなは何をしていたと思う？」、そう問いかけると、弾けるような声で「パーティーに参加していた！」「やっぱり、カフェでおしゃべり」と女子たちははしゃいだ様子で英語で身振り手振りを交え教えてくれていた。隣にいる男子は広東語しかわからない。少女が通訳すると、彼は小さな声で「彼女とデートかな？」とはにかんだ。マスクの下には等身大の10代がいた。

一方、警察官たちの間ではうつ病の発症も少なくないという。家族の反対にあい休職を申し出る職員もいると聞いた。香港人が香港人に暴力を振るわざるを得ない不条理がそこにある。中国政府はその背後で、香港行政府に指示を出す。

キセキさんの取材によると、デモ隊は、警察をコンドームとも呼んでいる。最終的に政府から見捨てられる「使い捨てられる駒」に過ぎないという意味で使われている。「彼らの精神状態も心配だ」とキセキさんは語る。

キセキさんは言う。「今香港で起きていることが、正確に伝わっているとは思えない。まずは知ってほしい。それで判断してほしい」と語る。

キセキさんはツイッターやインスタグラムを使って、SNS上での個展「#まずは知るだけでいい展」を展開、写真と共に現地で聞いた人々の声を言葉にして伝えている。「世界のどこでも同じことが起こっていて…ただ知らないだけ。私が、香港のことを伝えるのは、私が今香港にいるから…。ただそれだけ。でも、世界ではもっともっと同じようなことが沢山起こっていて…ただ知らないだけ。『知らない』ってそのまま生きていけるし、『知る』ことは、時として怖いこともあるけど、少しは、少し遠くに目線を向けてみても悪くはないと思う」。

テレビ報道が伝えない、香港のリアルがそこにある。

香港区議会選挙

一方、11月、香港では香港区議会選挙の行方に注目が集まっていた。民主派の候補者たちは各々街頭に立って連日訴えを続けていたが、そこにさえ、武装警察が踏み込み、候補者を拘束する場面にも直面した。香港の選挙運動では、50人以下の集会は届けが必要ない。しかし、警察官は「直ちにここから立ち退きなさい」と通告し、従わないと候補者やスタッフなどを片っ端から取り押さえていた。「あとは裁判所に訴えなさい」と高圧的に迫った警察官に「お前も香港人だろ！　ちょっと冷静になれ」と必死に訴えた男性の怒鳴り声は今も耳にこだまする。

そうした状況で、選挙が通常通り行われるか注目が集まった。

香港の民間団体「FIGHT FOR FREEDOM STAND WITH HONG KONG」の呼びかけで国際選挙監視団が結成された。

メンバーはイギリスやスウェーデン、マレーシアなど各国から招聘《しょうへい》された専門家たち。

メンバーが無事に入国できるのか懸念もあったが、予定通り香港に入ることができた。

日本人では東京外国語大学教授でジャズトランペッターの伊勢﨑賢治さんが選ばれた。

伊勢崎さんは、国連のPKO幹部として東ティモールの選挙監視やアフガニスタンをはじめとした紛争地での武装解除を請け負った実務経験のある専門家だ。伊勢崎さんに監視団の実務や香港デモについて、日本政府や国際社会が取るべき方策について聞いた。印象に残ったキーワードは「警察の軍事化」、そして「UNIVERSAL JURISDICTION（国際的司法権）」。伊勢崎さんは香港で起きていることは「人道に対する罪だ」と言い切る。伊勢崎さんとの対談で、その意味を聞いた。

INTERVIEW 伊勢崎賢治

選挙妨害の実態を監視する

堀　先月（2019年10月）、選挙活動の現場でも逮捕者が出ました。合法的な50人以下の集会であったにもかかわらず武装警察官が踏み込んで候補者を逮捕、現職の議員も逮捕されるなど、運動の時点から制約が加えられている状況を見てきました。圧倒的な力で選

伊勢﨑賢治（いせざき・けんじ／1957年生まれ。東京都出身。東京外国語大学総合国際学研究院（国際社会部門・国際研究系）教授。NGO、国連職員として世界の紛争地での紛争処理や武装解除などに当たった実務家としての経験をもつ。プロのジャズトランペッターとしても活動中）

挙を封じ込めることができるという前例を作るのは、嫌です。伊勢﨑さんはどういう要請で、どのような活動をするのか教えてください。

伊勢﨑　突然来たんですよね。メールが。日本ジャーナリスト協会で講演をしたのがきっかけだったと思います。民衆の抵抗運動という意味では興味がありましたが、選挙はそれほどでもなかったので、今、勉強しています。理解したのは香港の選挙で民間の団体が選挙監視団を作るのは史上初めてのことで、異例です。東ティモールなど、国連では僕はホストする側なので誇りに思っていますす。アメリカは入っていませんでした。議会で人権法案が可決されましたよね、イギリスが主体で、スウェーデン、リトアニア、アジアからはマレーシア、日本。だいたい一つの国から一人か、二人。皆さん現職の議員、古参の議員が目立ちます。経歴を見ると人権派でリベラル系のガンガンやってきたその道で有名な人たち。僕だけ研究者みたいな形になって。

堀　国連ＰＫＯの経験など、伊勢﨑さんは実務者でもありますよね。監視団としてどのような任務を行うのでしょうか？

伊勢﨑　団体からは選挙が開かれなくなってもきてほしいというリクエストでした。今回は10人の選挙監視団ですから、東ティモールなど数百人規模の監視団とは活動の意味が違いますよね。全ての投票所に行くわけにはいかないので、主だった投票所で監視を行うことになるでしょう。どちらかというと政治そのものに対する監視。世界各地から集まったメンバーが「見ているんだぞ」というメッセージを発信する意味合いが強いです。団体は我々にどのような現状を見てもらいたいのか、そのリクエストがリストになっています。

まず投票所では組織票がどのように動くのか。日本よりもひどいと聞きます。聞くところによると親中派の候補者の支援者には「なるべく早朝に投票を済ませろ」という連絡が入っているようですね。どういうことかというと、投票を早くに終わらせて、あとは閉めてしまうという見方ができます。暴動などいくらでも作り上げて、それを理由に鎮圧することもできてしまう。さらには、投票をしに行っただけなのに暴徒に襲われた、だから投票を中止するなど、警察がやろうと思えばなんでもできてしまいますからね。

堀　そうした懸念が起きるのか否かも監視の対象ということですね。

伊勢崎　香港において何が自由で、何が透明なのか。見ないとわからない。自由というのは投票に行く自由ですから、強制されてもいけないし、妨害されてもいけない。もし起きた場合はどういうシナリオで起きたのかを確認しなくてはいけない。一番厄介なのは、公正さ。投票の前に金品の受け渡しなどが行われた場合、それを果たしてどこまで確認できるのか、これはわかりません。そして、投票が終わった後の集計ですよね。そこも見られる時間がありません。どういった形で、何を監視するのかは現地でのミーティングで確認することになります。

「警察の軍事化」は世界の負のセオリーに

堀　今回のデモについてお伺いしたいのですが、「若者の暴徒化」という表現を使うメディアも目立ちますが、現場で取材をしている実感は「警察の暴力化」です。催涙弾も激しく発火する、より強力なものに変わりましたし、放水車の水には化学物質が含まれていて浴びると肌がただれます。水平射撃で学生や記者にも催涙弾を撃ち込んでくるようになりましたし、必要以上に殴られたり押さえ付けられたり暴言を吐かれたりもする。香港当局の背後には当然中国本土の存在がある。この構図を伊勢崎さんはどのようにご覧になっていますか？

伊勢崎　一つのパターン化されたやり方です。僕はカシミール紛争にも関わっていて同じようなことが起きています。つまり軍、中国では人民解放軍ですが、軍が表を固めている。既に香港に解放軍が入っているという話もありますが、実行部隊というのは現地化された警察ですよね。その警察をどんどん軍事化させるということです。その手口というのは、インドがカシミールのムスリムにやっていることと同じです。大きな意味では占領地でイスラエルがパレスチナ難民にやっていることもその延長になるかもしれません。極めて現地化した、軍事化した警察力を使って民衆を抑える。

もう一つの共通点は、ノンリーサルウェポンです。戦争兵器ではないわけです。戦争兵器を使うといわゆる人道に対する罪、国際犯罪になって国際世論が黙っていません。しかも、今回の弾圧は戦争時ではない、平和時に行っている。そこに軍事化した警察を投入するというやり方ですよね。このやり方はものすごい勢いでコピーされつつあります。インドがそうでしょ、チリのデモもそうです。

堀　ベネズエラなどでもそう、スペインのカタルーニャ、各地のデモで同じような光景を目の当たりにします。

「人道に対する罪」を国内法で裁く

伊勢崎　中国は自分では軍を出せないでしょ。それは自ら一国二制度を否定するようなものですから。だからこのやり方は今後もずっと続くでしょうね。これを抑止するには、僕らが「人道に対する罪」であるとして、外国圧力をかけていくほかないです。国際司法裁判所に訴えかけるなど、日本にはこういうことを頑張ってほしいのですけど、日本の場合は、人道に対する罪を裁く国内法を持っていないのです。憲法改正についてはそうした観点でも議論が必要です。護憲派の人たちにはそこを考えてほしいと思います。

実は、先日、アフリカの小国ガンビアが、アウンサンスーチー氏をロヒンギャに対する大量虐殺を理由に、ハーグの国際司法裁判所に提訴したんですよ。国内法で。ガンビアの国内法で、ガンビアに来たこともないアウンサンスーチーさんを訴えたんです。彼らも内戦の暗い歴史を持っているので、だからこそ人権が大切だということで、UNIVERSAL JURISDICTION（国際的司法権）という考えのもとに訴えた。つまり、犯人がどの国籍であろうと、どこで起きようと、人道に対する罪を国内法で裁くことができるという考え方なんですよ。素晴らしいことでしょ。日本だって、そういうシステムがあれば日本国内で香港当局のやり方についてチェックできるわけですよ。そういうことで訴えかけていかないとだめですよ。国際司法の場に。

堀　いくら抗議の姿勢を示した、と政治家が言っても法的根拠がなくては力にならないと？

伊勢﨑　そうです。香港に今度の監視団が入るというのは一歩だと思うんです。僕は日本にそういう世界的な価値観があるんだ、これから広めなくてはいけない考え方があるんだということを伝えたい。そのためにも、現場で行われている非人道的な行いの証拠を取らなくてはいけない。そうしたものをもとに、国際司法裁判所やカナダのように既にUNIVERSAL JURISDICTION（国際的司法権）を法制度化している国が10ヶ国くらいあるんですね。そうした国と連携していく。日本も本当はそうなってほしいのですけど。日本を変えることも含めてこれから発言していきたいです。

堀　日本人から香港人の皆さんに伝えたいことはありますか？

伊勢崎　香港で騒いでいるみんなは暴徒ではありません。火炎瓶を投げているかもしれませんが、圧倒的な暴力に対しての対応です。パレスチナのインティファーダ（アラビア語で蜂起・反乱の意。日本では主にパレスチナにおけるそれを指すことが多い）もそうです。銃を構え武装した兵士に対して、子どもが石を投げ返すのも暴徒というのでしょうか。これは非暴力抵抗の範疇《はんちゅう》だと思っています。だからそれを踏まえて、日本で暴徒であるという報道がなされていることは申し訳ないです。暴力というのはプロポーション。比較なんですから。現地に入ったら若者のリーダーたちとじっくり話したいです。

堀　民主主義とは何なのでしょうか？

伊勢崎　これも民主主義です。（若者たちが路上で抗議をしているのは）ストリートデモクラシー、民主主義の一つで、非民主的だとは思いません。あくまで投票するというのは一つの側面であって、もし頭にくることがあったら、デモ行進をしたりする権利があるわけです。民衆の運動というのは発端はいつも平和的なわけですから。法の番人としての警察のやり方は、本来、民主主義を壊さないように自制的にやらなくてはいけないですよね。しかし、今は、警察の軍事化、しかも平和時にノンリーサルウェポン。殺さないけど痛めつける、障害の残る傷を負わせる、こういう兵器の使用と拡大がどんどん進んでいるという状況ですね。これは、明らかな人道に対する罪であるという国際的なコンセンサスを作らなくてはいけないのです。

香港警察の警察官

香港の警察官はどのような思いで任務にあたってきたのだろうか。私は彼らへの接触も試みてきた。職務について外部へ漏らすことは、内規違反だ。交渉は難航したが、2020年1月、デモをきっかけに退職した二人の警察官に話を聞くことができた。

待ち合わせは香港郊外の住宅街だった。中国武漢市を中心に広がった新型のコロナウィルスに感染した患者が、香港でも次々と増えていた。駅前を行き交う人々は子どももお年寄りも皆マスクをつけている。通訳として同行してくれた陳逸正さんが「香港人はSARSを経験しているので今回はマスクの着用が徹底されています。でも、政府は自分たちからマスク着用の呼びかけはあまりしない。マスク禁止法を言い出した手前、言いたくないんでしょう」と皮肉たっぷりにニコッと笑ってそう言った。

ファンさん（仮名）

人混みの間から、長身の男性が現れた。頭髪は刈り上げて整えられ、背筋がすらりと伸びていた。ロングコートが彼の姿勢の良さをさらに際立たせていた。鍛えられた体格が警察官らしさを感じさせた。

匿名が条件だった。着ている服もできることなら撮影してほしくないと慎重だった。映像では声も加工してほしいとリクエストがあった。約束をするとようやく笑みがこぼれた。カバンの中から、警察官時代に支給されたという身分証を入れる革製のケースを取り出し見せてくれた。背面には香港警察のエンブレムの刻印。使い込まれて少し柔らかくなっていた。

オフレコで、警察学校への入学時期や勤務内容などを確認。団地の公園の片隅に座ってインタビューが始まった。ここでは仮名のファンさんとしておきたい。

ファンさんの退職の引き金は6月12日の抗議デモだった。逃亡犯条例に抗議する若者たちが数万人規模で議会前に集結。各々が雨傘をさして道路を占拠した。平和的なデモのはずだった。しかし、警察はこの日、機動隊員を投入。催涙弾や暴徒鎮圧用の「ビーンバッグ（been bag）弾」を多数発射し強制排除に乗り出した。雨のように降ってくる催涙弾で辺りは白煙に包まれ、若者たちが悲鳴を上げながら逃げ惑った。この衝突で双方70名以上の負傷者が出た。

ファンさんは雨傘革命以降、民主派を支持していた。中国の支配力が強まり、香港が変容していく様子に危機感を抱いたからだ。警察の内部にいることで、変えられるものがあるかもしれないと期待も抱いていた。

しかし、この日、指揮官が下した命令は度を越していた。同僚たちは「法を守らせ、秩序を維持するのが自分たちの役割だ」と言って、デモ隊の鎮圧は当然だという空気が大勢を占めていたと振り返る。しかし、ファンさんは言う。「警察学校では、デモを鎮圧する際には相手と同等の武力に抑えて鎮圧するよう教えられた。警棒で頭を殴ってはいけないというのも基本だ。しかし、今回は違う。警察の行動はエスカレートしていった。正義のボーダーラインがどんどん低くなっている」。目の前で起きていることと、自分の意思との乖離。しかし、口にすることができなかった。

ある日、上司や同僚と食事をしている時にこう尋ねられたという。「最前線で、デモ隊に参加している知り合いからレンガを投げられたとしよう。君は警棒を振るか、その人を撃つか、それができるか？」。ファンさんは質問に答えなかった。それで咎められることはなかったというが、若者たちを支持していることは伝わった様子だった。ファンさんは「相手が知らない人であっても、警棒で殴りかかることは僕はしないと思います。自分の良心を守りたい。いわゆる初心を忘れるべからず。警察官になって自分の中の正義のボーダーラインがどんどん低くなっていた」と言い、本当の思いを上司や同僚たちにぶつけられなかったのがとても辛かったと下を向いた。上司はファンさんに「勤務後に制服を脱いだら、デモに参加しにいくのか？」と冗談めかして聞くこともあったという。ファンさんは退職を決意した。

警官を辞めてまでも何を守りたかったのか？　そう尋ねると「ずっと前から、中学生の頃から、香港は民主的な文明社会を望んでいる。心から民主を支持しています。だから、デモ隊の人たちは、私よりも、前に立っている。ずっと自分が守り続けたものの方が正解だと確信している」と答えた。「迷いはありませんでしたか？」、そう尋ねると、ファンさんはさらに語気を強めてこう言った。「たとえ、法律から私が間違っていると言われても、きっと最後に歴史が無罪と言ってくれるだろう、そう思っています」。

最後に、ファンさんに様々な疑問をぶつけてみた。今、デモ隊を鎮圧する警官隊から北京語が聞こえるという話も聞く。中国から送り込まれている隊員もいるのか？　と聞くと、返答は興味深かった。「退職後は一切、同僚から連絡がこなくなったし、接触もない。だから今のことはわからない。しかし、気がついたことがある。現場の映像を見ていると警棒の握り方が違う警察官が目立つ。私が警察学校で習った持ち方ではないのです。あれは誰なのか。今、最前線にいる警察官たちにはこう言いたい。せめて、本来の香港警察のやり方をしてほしい。催涙弾は水平に構えて直接撃ちこむのではなく空に向けること。現場の判断ですぐにできることです」。

ファンさんは今、政府の対応に反対する集会などに積極的に参加し、同じ民主派の仲間と共に自ら声も上げ続けている。しかし、彼は元警察官。民主派の仲間の中から「信頼できない」と突き放されることもあったという。それでも彼は前を向いている。

邱汶珊（キャシー・ヤウ）さん

デパートやレストランなどが集まる香港島の中心部、銅鑼灣（コーズウェイベイ）。大通りから一本奥に入った道沿いに建つ雑居ビル。11階を訪ねた。警察官を辞めて区議会議員選挙に立候補した元警察官を訪ねるためだ。

香港警察を退職し、区議会議員選挙に立候補し当選したキャシー・ヤウさん。2019年6月以降に激化したデモ隊との衝突の中でヤウさん自身も疲弊し、市民を守る警察官としての誇りが失われていったという

インターホンを鳴らすと、茶色い髪を一つに束ねた小柄な女性が出てきた。邱汶珊（キャシー・ヤウ）さん。36歳。２０１９年7月、約11年間務めた香港警察を退職し、区議会議員選挙に立候補。54％を超える得票数で初当選した。開設したばかりの事務所にはチラシやのぼり、段ボール箱に入った資料などが積み上がったままだ。インタビュー中も、地元の区民がヤウさんを訪ねにきた。新型コロナウィルスに備えるために、マスクを求めてヤウさんに会いにきた人たちだった。箱の中から、マスクを数枚取り出し、玄関口で快く応対していた。ヤウさんは「区民の期待

に応えるために、休みもない毎日ですよ」と頭を掻きながら笑った。八重歯が印象的だ。

ヤウさんへのインタビューは約30分。その中で繰り返し語ったのは「香港人と香港人が、お互い傷つけあっている」現状についてだった。本来、市民を守るべき警察官。しかし、催涙弾を放ち、倒れている若者に警棒を振り下ろし、首元を足で踏みつけている様子が、見ていて本当に辛いと繰り返した。なぜこうした「分断」が起きてしまったのか、その背景に目を向けてほしいと語りかけた。

ヤウさんは、2008年に警察官になった。交番勤務や警備の任務を経験してきた。警察官時代の写真がないか訪ねると、香港在住の日本人カメラマンがたまたま撮影した後ろ姿のヤウさんの写真を見せてくれた。押し車に荷物を載せて横断歩道を渡るお年寄りに寄り添い、誘導している写真だ。「私が思う、本来の警察官の姿です」と、懐かしそうに写真を見つめていた。

6月以降、デモ隊と警官隊との攻防が激しくなり、ヤウさんも後方での警備を任されることになった。防毒マスクを携帯しての待機。3週間の間、休みはなく毎日12時間以上働いた。逮捕者、負傷者の数は日に日に増えていった。警察のゴム弾によって右目を失明した女性の映像に、胸が痛んだ。警備のため街をパトロールしていると、強い口調で市民からこう罵られた。「黒警め！」。黒警とはデモを支持する人たちが警察官を非難するときに使う言葉として定着していた。日本語の訳では「ヤクザ警察」「闇の警察」などだろうか。罵倒するときに使う。ヤウさんは、今でもその時の声を鮮明に覚えている。誇りを持って働いていた警察官。いつの間にか、市民との間に深い深い分断が起きていた。辛く、悲しい感情が湧いたが、一方で、市民の気持ちも理解できた。

退職する直前、林鄭行政長官の警護を同僚の女性警察官と担当した。制服ではなく私服姿での警護。当然、顔も公になる。いつか「あの時の警察官だな」と市民に言われるのだろうかと、不安がよぎったという。これ以上、対立に加担することはできないと、ヤウさんは、上司に退職を申し出た。「何かあったのか？　誰かに脅されたのか？」と質問を受けた。上司は驚いている様子だったという。「政治が原因で辞めたいのか？」という質問に、「一部はそうだ」と答えた。上司はヤウさんにこう言ったという。「君から、私に何かアドバイスをくれないか？」。上司も悩んでいたのだろうか。ヤウさんの決意は変わらなかった。ヤウさんは退職後、パトロールの任務で馴染みがあった湾仔（ワンチャイ）地区でボランティア活動に参加するようになった。デモ隊と警官隊との衝突で壊れた歩道の柵や穴が空いた歩道の修理を地元政府に呼びかける取り組みだった。

地域の分断を強く感じた。人々の繋がりを再生する取り組みが必要だと、次第に政治を意識するようになったという。ヤウさんはボランティアグループの仲間とともに区議会議員選挙への立候補を決めた。

ヤウさんは首元にかけていた議員の証明書を見ながらインタビューの最後にこう言った。「この証明書があっても、なくても、私は変わりません。民主主義は大切な価値です。地域の人たちのために耳を傾け、行動を続けたい。民主化を求める人たちのお手伝いをしたいのです」。

中国の若者は何を思うのか

中国の若者たちとの対話も続けている。

昨年7月、日本の国会にあたる、香港の立法会は逃亡犯条例に反対する若者たちによって破壊され、一時占拠された。窓ガラスが破られ、議事堂の中にデモ隊がなだれ込んだ。立て籠もりは長期化するかと思われたが、警察の介入で事態は収束した。その5日後、立法会の現場を訪ねると、観光客らしき若者たちがスマートフォンで撮影をしながら中を覗き込んでいるのが目に留まった。男女のカップルがいたので話しかけると、中国の深圳から旅行で香港に立ち寄ったという大学生たちだった。

「何があったのですか？」と逆に質問をされたので、ＳＮＳの映像や写真を見せながら、デモ隊と警察官との攻防の様子や、逃亡犯条例についてなどを30分ほどかけてその場で彼らに説明した。

「香港で何かが起きているというのは聞いていました。しかし、中国では報道されていないので、詳細は今わかりました」

リーさん

リーと名乗った男子学生は23歳。日本への留学経験もあった。女子学生はリーさんの交際相手。突然の説明に、困惑していた。「どう思いますか？」と訪ねると、彼女は「まだ意見がまとまらない。この情報が本当かどうかもわからないので。まだ何も言えません」と小さな声で答えてくれた。

リーさんにも同じ質問を向けると、日本語と英語を使って言葉を選びながら自分の考えを語ってくれた。

「民主主義の運動だということを理解しました。ただし、破壊行為が行われていることについては同意できません。驚いたのは、私たちの同世代の若者が政治に関心を持っているという点です。深圳の同級生たちの関心は経済です。ご存知の通り、私たちの国はインターネットでの情報発信や受信に制限がかけられています。しかし、VPNを使えば外部のインターネットにアクセスすることは可能です。もちろん、海外のニュースを手に入れることもできます。しかし、そもそも関心が薄い。だからアクセスできても、わざわざ政治のニュースを自分で調べようとはしないのが今の現状です。だから、香港の若者たちが声を上げるというのはよっぽどのことなのでしょう。私も今この状況を知ったばかりなので、じっくりと考えてみたいです」

誠実に答えてくれるリーさんに、さらに質問を続けた。「中国でも民主主義が必要か？自由が欲しくなりませんか？」「中国では、特に深圳では経済成長が続いています。どんどん豊かになっている。だから、それほど不自由さを感じることはありません。ただ、この成長がどこかで緩やかになったり、ある程度満たされた未来になれば、私たちもさらなる権利がほしくなるのだろうとも思います。中国の民主主義はまだ先なのではないでしょうか。ただし、興味はとても持ちました」。

とても有意義な対話だった。深圳の若者が自国の状況を極めて冷静に分析しているところに安堵さえ感じた。リーさんとは互いのＳＮＳのＩＤを交換し、その後も折に触れ意見を交換している。リーさんのＳＮＳには、それ以降、香港の動向に関する投稿が並んだ。11月の香港区議会議員選挙で、民主派の候補者たちが圧勝すると、彼は「民意！」と投稿した。機会があれば、対面してまたゆっくりと話をしたい。

21歳の中国人男子学生（匿名）

深圳だけではない、上海の若者たちとの対話も興味深いやりとりになった。

２０１９年12月、香港から一時帰国した写真家のキセキミチコさんら仲間と共に「＃まずは知るだけでいい展」の写真、映像展を、東京・渋谷のギャラリーで共同開催した。１週間という短い期間だったが、およそ２０００人の来場者があった。香港からわざわざ足を運んでくれる人たちが後を絶たなかった一方、中国出身の若者たちも何人か会場を訪ねてくれた。そのうちの一人、名前は伏せるが、21歳の男子学生の言葉が興味深かった。彼は上海の大学から交換留学で来日し、学習院大学で日本文化を学んでいる。香港の動向も注視してきたという。

「堀さんの講演を以前、聴く機会がありました。大きな主語よりも小さな主語を使うべきだという主張に共感しました。中国人、というのも、香港人、というのも大きな主語です。上海は中国の中でも割とリベラルな気質。私もその一人です。香港の若者たちには共感も抱きますが、懸念もあります。それは、香港の若者たちがどのくらい民主主義というものへの理解を深めた上で運動を行っているのかという点です。ただのスローガンになってしまっているのではないかと懸念しているのです」

その学生によると、香港の若者たちの就職難や低賃金化、家賃の高騰などは理解しているという。それだけに、「暮らしが良くなるために、民主主義が必要だ」と思い込んでいるのではないかと、心配しているというのだ。民主主義は公正な選択をするための仕組みの一つだ。前述した通り、香港経済には偏りがあり、そこに公正さはない。一方で、民主主義＝経済的恩恵と考えるのもまた拙速な話だ。私が暮らすここ日本はまさにフルスペックの民主主義を持ちながらも、経済格差や貧困問題が社会問題として常に課題として突きつけられているからだ。学生の指摘はもっともだと思った。では、どうするべきなのか。学生に問いを投げかけると彼は間髪入れずにこう答えた。

「だから、私は香港の若者たちと民主主義とは何なのかを議論したい。私も民主主義とは何なのかを知りたいし、彼らにとってもそれは決して価値のない時間にはならないはずです。分断を乗り越える対話こそ、民主主義ではないでしょうか」

分断対談❷

「分断の時代を読み解く」

×ウォール・ストリート・ジャーナル日本版編集長　西山誠慈

西山誠慈（にしやま・じょうじ／ウォール・ストリート・ジャーナル（WSJ）日本版編集長。1993年早稲田大学政治経済学部卒業後、ロイター通信社にて金融市場、経済政策、外交など幅広い分野を担当。2011年からWSJ東京支局にて経済政策報道の編集責任者を務め、2014年12月より現職）

知らないものに対する恐怖

堀　僕自身の意識として今は、自分で問いを設定することの方が大切だろうと思っています。「これをやった方が良い」とか決めつけるのではなく、「私が何をするのか」ということを、読後感として感じてもらえた方が良いのかなと。本当に何かこう、導火線に火をつけるには、当事者意識を喚起して、「分断しているのはあなたかもしれませんよね」という気づきから始まるのかなと思っています。

その中で、メディアの役割についても改めて考えなければいけないと思っていて。ジャーナリストの安田純平さんは、シリアでの取材中に拘束され、無事に帰って来られましたけど、残念ながら日本記者クラブの会見場では謝罪をするような形になってしまった。当時のシリアの情勢について興味深い話がたくさんあったのに、自己責任論がクローズアップされてしまった。メディアがこういう事態に分断を生まないためにはどう発信をするべきなのかというのも考えなければいけないと思いますが、西山さんはどう思われますか。

西山　何だろうな。安田さんの件は自分もすごく残念だった。どう言ったらいいのか難しいですけど、分断とか差別とかの根底にあるのは、知らないものに対する恐怖だと思うんですよ。身近な例で言うと今でこそＬＧＢＴは、誤解がないように言うと、ちょっとファッションだったり流行りだったり、バズワード、キーワードになっているじゃないですか。

堀　一つの市場にもなってきていますよね。

西山　自分はたまたまだと思うんですけど、大学を出てから外国メディア、簡単に言うと外資の会社でずっと働いているので、今でこそＬＧＢＴとか言われますけど、当たり前のことだったんですね。男同士だったら女の子の話をするように、そういうのが日常だった。

何年も前ですけど、大学の友達と新宿にいたんですよ。そしたら場所柄もあるんだろうけれど、職場のゲイの友達にばったり会ったんですね。少し立ち話をして別れた後に、特別な意図なんて何もなくて「職場の友達で、彼はゲイなんだよ」という話をその友達にしたら、「本当にいるんだ、ゲイの人」って。それがすごく印象に残っている。

でも彼が驚いたのは「知らないから」なんですよね。我々メディアができる役割というのは、そういうことを伝えることです。場合によっては安田さんみたいに危ない所に行ってでも伝えることとです。自己責任とかどうこうというのは、自己責任と言ってしまえば自己責任なんですよ。自分の意思で行きたいから行っているというのは、我々も安田さんもそうだと思う。

堀　そうですよね。

西山　堀さんは北朝鮮に行かれましたけど、そこで拘束されたら、おそらく自己責任と言われますよ。ただ、中東も行かない、北朝鮮も行かない、さらには台湾や香港も怪我したら自己責任だって言われるから行きませんとなると、何も情報が入ってこなくなりますよね。自己責任を言う人たちには、それでいいんですかと問いたい。あなたが日々意識せず見ている情報というのは、そういう形でもたらされているんだから、それがなくなって本当にいいんですかということですね。

ファクトを知り想像力を働かせる

堀　一方で「こうあるべきだ」「こうに違いない」「こうした方がいいに決まっているだろう」という固定観念と、「実際はこうだ」「一方でこれもあるんだ」というファクト勢という構図になると、今はどうしても固定観念でものを言う方がコストが安いし、人々の感情に訴える力もおそらくある。それに対してファクト勢が非常に力を失っている。それは例えば、調査報道部門の縮小などにも表れています。

そういう時代において、ファクトにはニーズさえないのかという状況をどう打開していけば良いのでしょうか。

西山　ニーズがないとは思わないんですよね。僕は結構楽観主義で、調査報道とかの部分で言うと、それを求めている人や読む人は必ずいるし、うちの調査報道が成り立っているのはそれを読んでくれる人がいるからです。

例えば、ソーシャルメディアとかを見ていると、タイムラインに流れてきたフェイクニュースなどのセンセーショナルなものだったり、とにかく面白い記事にどうしても目がいってしまうけれど、みながみなそればかりを真実だと思って信じているかというと、そんなことはない。

僕にはちょうど高校1年生と3年生の息子がいて彼らに「ツイッターとかで流れてきているの、全部鵜呑みにしていないよね」と聞くと、「そんなわけないじゃん」と。要するに、彼らの方が最初からこの環境で育っているから、わかっていたりするんですよね。

堀　実を言うと、ファクトを求めてより精緻な取材を重ねていたのが、相対的に見て新聞などの伝統的なメディアが担っていたということへの気づきは、結構広まってきたと思うんですよね。

若い世代は割と感度が高くて、期待ができるんですけど、例えば日本だと上の世代の方がまだ圧倒的に多いわけです。

そういう中で、一体何が分断を生み出しているのか。映画の中では生業っていうのも一つのキーワードにしています。そこを見ていると、経済合理性が担保されるのであれば、人の権利というものが多少侵害されても仕方ないのではないかという価値観がある。カンボジアで中国が影響力を強めていますけれど、カンボジア全体が経済発展するのであれば、土地が少々制約を受けてもいいとか、至るところに、日常が安定し、儲かるのであればという思惑が私たちの背後に共有されてやいないかという懸念があったんですよね。香港なんかはまさにその戦いだったりする。

分断には、その理由、要素、背景、本当に様々ですけど、西山さんはどう考えますか。

西山　あまりにも大きなトピックなんで、一言じゃ答えられないですよね。でも、やっぱり知ることと、月並みですけど想像力が重要になってくるのではないでしょうか。直接会って話してわかり合えることもあるけども、そうじゃない場合はやっぱり想像力を使わなくてはなりません。

そこで安田さんの話に戻ると、中東に行くなんてほとんどの人には難しいわけですよ。僕はよく言うんですけど、映像を見てそこに誰か人間がいて、例えばその人が男性だったら、誰かの息子であることは間違いないわけで、それはもしかしたら誰かのお父さんかもしれないし、おじいさんかもしれないし、お兄さんかもしれないし、弟かもしれない。そういう一人の人間から広げていって、想像力を利かせていく。そうやって想像力を働かせることで、相手が置かれている立場や現実を把握しよう、理解しようとするわけじゃないですか。それが欠如していると、「知らない」とか、「あの人は土地を取られて大変かもしれないけど、自分は潤ってるからいいや」とかになります。そういうことが分断や差別の根底にあると思います。

システムを個人が補う社会に

西山　すごい話が壮大になってしまいますが、それこそ、社会主義や共産主義、資本主義、自由主義にしても、どれにしたって経済の論理だけだとうまくいかない部分が必ず出てきます。その時にそのうまくいかない部分を誰かが調整しなければならない。そうなった時のために政府があるんです。そこの政府を設けているだけ、人間はまだ捨てたもんじゃないなと思うんですけど、そこがうまく機能していないというのが問題ですよね。

だから、システム論で言えば、貧困の問題だったら再配分をどうするか。いろんな形があってこれというオールマイティの答えはないし、こっちを上げればこっちが下がるじゃないけど、１００％は満足しないけれども、どうやってより良い道を作っていくかを考えて実行するのは、その国の政府や公的なセクターの責任だと思いますね。

でももっと幅広く言えば政府だけじゃなくて、一人ひとりの人間がいろんな形で貢献できるわけじゃないですか。お金だけを寄付するパターンもあれば、自らボランティアに行くなど様々な貢献の形があります。そこが人間が動物と違うところだと思うんですよ。動物の世界は基本的に弱肉強食で、怪我して、足が動かなくなったら食べられてしまいますけど、人間はそこでギブアップしない。足が動かなくなれば「義足を作ろう」となったり、もしくは誰かが車椅子に乗せて助けてくれたりして、それで生きていける。社会というものを作って、何とかみんなでやっていくというのが人間なんだから、その社会の一部として政府もあるし、政府が気づかないなら自分が助けるよという形で補っていく。特に資本主義というシステムであれば、経済だけでは絶対解決できないと思うし、それを各自が補うことが大切なんじゃないかなと思いますけどね。

堀 「経済だけだとやはりそれが手当てできない、資本主義だから」というのは、市場原理だけに委ねた社会はやはり効率化の方に流れていくのではないか。それを手当てするのがそうした国のありようだということですね。

西山 そうですね。でも国だけじゃないと思いますよ。今言ったように個人ができることもあると思います。利潤だけを求めていたら、それはそっちにいっちゃいますよね。

堀　年末年始にスーダンに行っていたんですけど、スーダンでは2019年に起きた市民運動が政権を倒すきっかけを作ったんです。それは軍のクーデターで、現在は軍人の暫定政権が立ち上がっていますが、私が行ったのは、スーダンがこのあと民主国家になるかならないかのちょうど瀬戸際に立たされている時期でした。

市民の皆さんは、自分たちは平和的なデモを貫いた、武器を持たなかったからアラブの春のようにはならなかったというのを誇りに思っていました。「民主主義とは皆さんにとって何ですか」と聞くと、「公正さだ」と言うんですよね。今までは、様々な富や情報が一部の政権によって牛耳られていたと。「なぜ公正さを求めるんですか」と聞いたら、「それは豊かさを等しく手に入れるためだ。だから民主主義が必要なんだ」と。すごく納得しました。「ただし、我々の国も民主主義だしアメリカも民主主義だし民主国家が格差や貧困や富の偏りなどに今悩んでいます。この状況に対しては果たして民主主義が本当に皆さんの豊かさを公正にするものと思うか」と言うと、その先は途端に答えが見えなくなってしまいました。

たぶん僕らが直面している課題は、公正さを担保しようという仕組みでありながらも、そのシステムがあまりうまくいっていないことにある。そういう、民主主義と経済の関連性で言うと、西山さんは、どういうところにエラーがあって、もしくはエラーがないのか、何か解決策や改善策があるのかどうかについてどうお考えですか。

西山　答えを提示できるような立場じゃないんですけど、最近ではSDGs（持続可能な開発目標）というのもありますけど、企業に対しても「環境問題に対してあなたの企業はどこまでちゃんとやっているんですか」といった厳しい目が向けられ始めましたよね。アメリカでは若者を中心にすごく厳しい目を向けていて、投資する際にもそれが基準になっている動きもあります。そういうところから是正されていくと思います。

スーダンのことは細かいことはわからないですけど、日本やアメリカのような民主主義国家にもいろいろな問題はありますけど、基本的には一人一票の選挙権があって、みんなが意思表示できる。クーデターとかそれこそ選挙が適正に行われないような国と比べたら、政治に関して言えば、意思表示しようと思ったら、できる制度はあるわけじゃないですか。だからスーダンと日本を比較すると、生活のレベルが違うし、我々は思うところがあってもこうやって生活できるわけじゃないですか。

堀　そうですね。

西山　少し話が脱線しちゃうんですけど、震災の後に思ったのは、具体的には震災というよりメルトダウン（炉心溶融）があって、さすがにこれは変わるなって思ったんです。普段はすぐに行動しない、できる限り現状維持を保つ傾向のある日本人、もしくは日本のシステムでも、「これは変わる」って思ったんですよ。

でも「再生エネルギーって高いんですよ。電気代上がりますよ」「CO2出しちゃいけないって言ってるじゃないですか。それには原発しかないですよ」みたいな話になって、何か知らない間になあなあになってしまった。

選挙もあるわけだからその時に本気で変えようと思っていれば変えられたと思うんですよ。だから民主主義そのものというよりも、意識だったり危機感が問題なんじゃないですかね。

堀　そうですね。今回、映画のサブタイトルに、「こんなはずじゃなかった。それでも、諦めたくない。」っていうのを入れたんですね。

まさに今の西山さんの思いとそれが重なる部分があります。まあ僕がNHKを辞めたのも震災が大きなきっかけでした。あの時ここから変わらなきゃいけないし、変えるべきだと思ったし、個がきちんとものを言えるような環境を整えなくてはいけないと思いました。

ところが10年経っても大きな変容はなかったし、「こんなはずじゃなかったな」って。傷んでる現場は傷みっぱなしで、それをどう変えていけばいいのかをすごく考えたんですよね。だからこそ僕はメディアの役割はすごく大切だなと思っているんです。知るところからまず始まるというのは重要だと思いますが、その一方で知ることさえも「私には関係ないんです」というふうに言ってしまう絶望がある。「物理的に、地理的には離れているから中東情勢は関心がないのかもしれないけれども、そういう人は隣近所の人が死んでも関心がないんじゃないか。でもそうなってしまうと、人間社会は崩壊してしまうので」という映画の中で安田さんが語るシーンがありますが、みんな自分の生活の維持が精一杯の関心なのかと思うとそれこそ寂しく悲しくなる。

でも様々な地域を取材していく中で、人は究極の状況に追い込まれないと声すらあがらないのかと思ったりもしました。

西山　２０１６年の安保法制の時に国会前でデモがありましたよね。あの時、声をあげる人たちもいるんだって思ったんですよね。そして現場を見に行って、集まっている人たちが拳を突き上げたりするような人たちじゃなかったのが僕はすごく印象的でした。年配の人も結構いて、自分の父親の世代とか、戦争のことをギリギリ経験しているか親から直接聞いている人たちは、やっぱり安保法制ができたその先にあるかもしれないものに対して、ものすごく敏感に反応して、「これはまずい」って集まってきたわけですよね。彼らは彼らなりの危機感を持っていた。

その一方で、SEALDsみたいにすごい熱い人たちもいれば、そうではない若い世代もいた。その人たちにどこまで危機感があったのかはわからないですが、日本人でも思う時は思うし、出てくる時は出てくるのかなって思いました。

堀　いざとなった時には、声は上がると。

西山　そう思いたい。もしかしたら声は上がるのかなって思えたのがあのデモだった。日本人も声を上げる時は上げるんだと。

ただちょっと気になったのは今言ったように、若い人もいたんだけど、世代的にはやっぱり年上の人が多かったということですね。

堀　そうですね。香港の若者たちに聞くと、香港の若者たちも、「香港人がここまで粘り強く運動ができるとは思わなかった。最大の関心は仕事とお金だった」という話をするんです。その話を聞いていて、日本もいよいよという時には、おそらくこういう状況になるんだろうなとは思って。決して悲観はしない一方で、でもいよいよまで来ないと火がつかないのかとも思う。場合によっては、多くの犠牲者も出すわけですよね。それ以前に解決できないかを考えると、一つには、自分たちが生きているこの経済の大きな仕掛け、大きな仕組みというものに目を向けてみるのは一つ大切なことだと思います。ただ、一生活者としてその渦中にいると、自分が今どういう座標のどこの位置にいるのかを見失ってしまう不安があって、それが将来への不安につながり、今を生きること自体でいっぱいいっぱいになってしまうという難しい状況もあります。

西山　これを言ったら終わりなんですけど、日本はそれでもやっぱりすごく恵まれていると思いますよ。絶対的な貧困はないけれど相対的貧困率とかが上がってきていてたり、もちろん様々な問題がありますけど、世界的に見たらまだ、日本に住む多くの人にとってみると、危機的な状況ではない。それこそアメリカの方が貧困による分断が起きていますよね。それが政治にも結果として表れています。

　我々メディアの人間としてできることは、最終的には個々の力を信じて、それを助けるために情報を与えるということです。堀さんの映画もそうですけど、こうしなさいとは言えないし、私たちもわからない。でも何か起こすための材料は提供する。ただ、その材料をあげても食べてくれないとか、その部分をどうするのかのジレンマはあると思う。そこは難しい。

堀　難しいですよね。もう、草の根的に、長期的なゴールを見据えて粛々とやるしかないのかなとも思います。悲観しすぎることもないし、必ず響く人たちもいるから。それはすごく共感します。

自主規制という名の忖度

西山　メディアの仕事で言うと、映画の最後に朝日新聞の元記者の方が出てくるじゃないですか。

堀　101歳で亡くなられた、むのたけじさんですね。

西山　我々メディアの人間は、むのさんがおっしゃっていたことをしっかり聞かなければいけない。戦争に向かおうとしている状況で「最初にメディアが潰れたらまずいからって言って自主規制したんだよ。別に憲兵がこういうことを報道するなとかガミガミ言っていたわけじゃない」という言葉です。僕はすごく衝撃的でしたね。もちろん、なんとなくそうだったということは聞いているけど、本当にそうだったんだと。我々メディアはむのさんの言葉をちゃんと考えないといけないと思いますね。

海外の同僚とか学生とかによく聞かれるのは、「日本では、政権を批判したとして、それで何か言われることはないのか」ということなんですけど、自分は「こんなこと書くな」とか、他の社のことはわからないですけど、特にそういうことを直接言われたことはない。民主主義度が下がっている、報道の自由度が下がっているとか言われているけど、どちらかと言えば、「面倒くさくなるからこれやめようよ」みたいな忖度があるのではないか。それが気になります。

　だから彼の言葉にはすごくドキッとしましたよね。まさに戦争の時も同じだったという。

堀　メディアが忖度せず、こうしたことをきちんと両立しながら発信をし続けるには、やっぱりマネタイズというのは、すごく大事になってくるのでしょうか。

西山　僕はあんまりその部分は、マネタイズとは関係ないと思うんですよね、単に、「面倒くさいから」というのがある気がします。

堀　どうですか、いわゆる日本企業、日本型のメディアの様子を、外資系のメディアに携わってこられた目線から見ると。

西山　それはよく聞かれるんですが、日本のメディアの情報の質は高いと思います。それこそフェイクニュースは当然、ちゃんと裏が取れていない情報が出てしまっているから信用できないということはないです。

　しかし、独自の切り口に乏しいというのは明らかにあります。日本の主要紙の朝刊を見ると、一面って大体どこも同じネタなんですよね。大きなニュースがある時は別ですけど、普通の日のニューヨークタイムズとワシントンポストとウォール・ストリート・ジャーナルのトップ記事ってどこも違うんですよ。みんな独自ネタで勝負している。だからそこは決定的に違います。

自分は今翻訳チームを見ていますが、自分のチームにも言うのは、やっぱり他のメディアとの違いが価値だということです。

例えば、うちと同じように海外メディアの日本版があるメディアのホームページのトップを見比べて、「AとBに載ってる記事がうちには載ってないけどいいですか」ということを心配するんじゃなくて、「うちもAとBと同じだったということの方がやばいよ」と。違うから面白いと思って読みにきてくれたり購読してくれるわけだから、「違うことが良いことだ」と思ってくれと伝えています。むしろ他と同じだったらやばいと思ってくれって。日本のメディアも変わりつつあるとすごく感じるんですけど、まだその傾向が強いですよね。

あとはやっぱり、勇気を持って捨てること。忖度して出さないというのも問題ですけど、なんでもかんでも発表されたものを出せばいいってわけでもない。これもあんまり言うと傲慢だって言われちゃうんですけど、我々ジャーナリストは、たぶんニュースジャッジメントだったり、ある種フィルターとしての役割を果たすためにお金をもらっている。特に今の時代、そうじゃなかったら、官庁かなんかのホームページをずっと見ていればいいでしょって、全部情報あるからってなりますよ。

堀　それによる弊害というのはいろいろあるんでしょうか。

西山　いろんな見方ができるし、その結果はわからないですけど、でもやはり視点があまりに同じになってしまうという問題はあると思います。逆にそれが、みんなが同じ考えになるから分断が起きないという見方になるのかもしれない。ただみんなが同じことしか言わなくなると、そこからはみ出た意見などに対して寛容でないとは言わないですけど、違うものに対してどう対応していいかわからなくなる。アメリカだとその違いというのが全て国民性だったり、社会の特徴だったりします。「ああでもないこうでもない」というのが日常的に、家族でも友達との間でもある。

対して日本は「和」を大切にするので、多様な意見というものがあまりないじゃないですか。丸くおさまるというか。それは良いことなのかもしれない。でも違うものが出てきた時の対処、対応の仕方に慣れていない。だから人によっては、「こんなの違うよ、知らない」とか、「良くない」とか「どうしていいかわからない」となってしまうのかもしれない。建設的に反対するとか批判するということに慣れていないのかもしれない。

堀　確かにそうですね。でも、同じであることを良しとされた時代には良かったと思うんですけど、これだけライフスタイルが多様化して、社会問題も多様化していると、「同じ」というまとまりに入らないものに関しては、異質なものとして扱ってしまいます。それが、

「何勝手にやってるんだ」とか、「あなただけの問題でしょ」とか、分断を深めかねないなと思いました。

例えば震災の避難の話にしても、国が線引きした中で、「あなたは避難者です」という人は避難者です。でもところが、「国は別に指示を出していない。でもあなたは自分で判断したから自主避難者でしょ」と。こういう文言って、国の発表した文言通りに各ニュースが使っていたりするので、知らず知らずのうちに「避難者」と「自主避難者」という大きな隔たりを作ってしまっていたりするなっていうのを、改めて思いましたね。

第3章

小さな主語から分断を見る 福島と沖縄

福島と沖縄

東北新幹線の車窓から、遠くにうっすらと雪化粧した三角に尖った山の頂が見えた。会津富士とも呼ばれる磐梯山の姿だ。

郡山駅が近づいたことを知らせてくれる馴染みの風景の一つだ。福島県に通うようになって間も無く10年。磐梯山を見るたびに、思い出す会話がある。

２０１１年４月。原発事故によって突然、避難を強いられた海沿いの町、楢葉町。住民の多くが１００キロ以上離れた、会津美里町に避難した。

東邦銀行楢葉支店の支店長、深谷浩さんが、避難所に机を置いて一人で住民の相談業務を続けていた。スーツ姿ではない。紺色のスラックスに、ベージュのセーター姿。あの日、着の身着のまま住民と共に避難し、原発のメルトダウンによって、楢葉には戻れなくなってしまっていた。深谷さんは、融資先の自営業者からの相談や、通帳や印鑑を持って逃げられなかった住民の相談など、一人ひとりの話に耳を傾け、誠意のある対応を続けていた。お金の相談だけではない。家族のこと、仕事のこと、地震のこと、津波のこと、原発のこと。お年寄りがお茶を飲みながら深谷さんに話しかけ、支店長は頷きながらひたすら耳を傾けていた。

その日は良く晴れた日で、目の前では真っ白に輝く磐梯山が、青い空を背負って静かにこちらを見下ろしていた。深谷さんはお年寄りにこう言った。「本当に磐梯山は美しいなぁ。こんなに穏やかで静かで。でも、どうしてこんなに美しい自然が、あんなにひどいことをするんでしょうねぇ。どうしてかなぁ」。吸い込まれそうに深い空と白銀の世界で、なぜか涙が止まらなくなった。一緒に眺めたあの磐梯山の姿は今でも鮮明に記憶に刻まれている。

あの日、故郷を追われ、避難生活を続ける様々な人たちの声に耳を傾けてきた。

深谷敬子さん

楢葉町の隣、富岡町で美容室を営んでいた、深谷敬子さん。76歳。郡山市内に建てられた復興住宅で、一人で生活している。

深谷さんは震災以来、ハサミを握っていない。原発事故によって生業を奪われた。

深谷さんが住んでいた富岡町は原発から半径20キロ圏内にある。自宅を兼ねた美容室は、未だ立ち入りが制限されている帰還困難区域に指定されている。

私は、一度、深谷さんと共に、富岡町の自宅を訪ねたことがある。敷地に入ると成人男性の背丈を超える草が生い茂り、敷地内に足を踏み入れることさえ難しい状態だった。

敷地内にある美容室は、屋根が抜け落ち、壁も崩れ、落ちた天井材、床を突き破って生えた草でめちゃくちゃになり、もはや建物の体をなしていなかった。80歳まで働こうと思っていた店は無残な姿になり、生きる目的や生計の糧を失った。営業損害の賠償は深谷さんが高齢であるという理由から、わずか3年で打ち切られた。

思い入れのあった自宅はさらに無残な姿に朽ちていた。天井の一部が落ち、お気に入りだったキッチンカウンターにも、家族の団欒の場だったリビング・ダイニングにも、広々とした和室にも、いたるところに動物の糞が散乱していた。自宅内は、カビ臭さと獣臭さが混ざったえも言われぬ異臭が漂っていた。突然の避難で、家の中のものは何も持ち出すことができなかった。仏壇、応接セット、ベッドなど、一つ一つ買い揃えた家財道具も全てダメになってしまった。仏壇やタンスの引き出しという引き出しは乱暴に開けられており、誰かが物色した後も虚しかった。

深谷さんは薄暗い部屋の中で、防護服に身を包み、苦しい胸のうちを明かしてくれた。

「私にとって老後の夢でしたね。いろんな人との関わりを持って生きていられるお店でした。でもまさか、こんなんなるとは思わなかったですね。うちもここも、この敷居も、こんなになるとは夢にも思ってませんでしたね。もう本当、がっかりです。70年生きてきてまさかこういう目に遭うとは思わなかったし。なんか、本当にね、もうここにあの、5年くらい来なかったのはやっぱりこういうのを見たくなかったからだったんですよね。そして、なんかすごく、今まで生きてきたものがなんかもう、みんな、ここで40年生きてきたんですけど、みんなダメに、もうなんか、無になるような気がしてね。こういうのを見ると。それですごくがっかりするので、来たくなかったんですよ。今回来てみてまた新たに、『ああもうこれで、帰りたくても絶対に帰れないんだなあ』って、こういう思いが、すごく強くなりました。で、すべて諦めなくちゃいけないんだなあっていう思い、やっとなんかそういう決断ができたような気がします。ありがとうございました」

深谷さんと出会ったのは、2018年12月の仙台だった。現場は仙台高等裁判所の近く。国や東京電力に対して賠償を求める裁判の原告の一人として、集会に参加していた。2013年に、事故当時に福島県や隣県で暮らしていた住民3864人が訴えを起こした「生業訴訟」だ。福島地裁での一審は深谷さんたち住民側が勝訴した。裁判所は津波は予見できたとして、対策を怠った国や東京電力の責任を認めた。その後、審理の舞台は仙台

富岡町で美容室を営んでいた深谷敬子さん。震災により、思い出の詰まった家、そして大切な美容室を奪われた

高裁に移り、裁判は今も続いている。

深谷さんはこの日、証人の一人として法廷の証言台に立った。私はその法廷の傍聴席にいた。絞り出すように震えた声で陳述書を読み上げる深谷さんの様子に、法廷は静まり返った。証言が進むにつれ、次第に鼻をすする音が広がっていった。裁判官はまっすぐ深谷さんの目を見続け、口を真一文字に結んで証言を聞いていた。速記者が、下を向いて一度目元を手で拭ったのを見逃さなかった。深谷さんの証言を聞いた時に、この話を多くの人に知ってもらいたいと、映画を製作することを決意した。30分近く続いた、深谷さん

の証言を聞くことができたのは、この法廷で傍聴した人たちだけだからだ。

深谷さんの証言をもとに、深谷さんの物語を皆さんにもお伝えしたい。

深谷さんは、福島県郡山市日和田で生まれ育ち、中学校卒業後に、すぐに東京に出て美容師になった。

昭和43年に夫と結婚して、翌年に長男が生まれたのをきっかけに、夫の出身地である福島県双葉郡富岡町夜ノ森に自宅を新築して、引っ越した。やがて二男が生まれ、それ以来、原発事故が起こるまで、そこで暮らしていた。

原発事故当時、夫を既にがんで亡くしており、長男と二男は家庭を持って、それぞれ別の町で暮らしていた。深谷さんは一人で美容室を営んでいた。

富岡町での生活は、安心できる家があり、仕事があり、多くの人との繋がりもあった。毎日が満ち足りたもので、何の心配もせずに生活ができたと深谷さんは振り返った。

深谷さんが自分の店を開きたいと考えたのは、30歳の頃。東京に修業に行き、いろいろな店を渡り歩いて経験を積んだ。33歳の頃、福島県浪江町のショッピングモール・サンプラザに美容室を出店。その後、6、7人の従業員を雇いながら59歳までそこで美容室を続けた。

60歳になった、２００４年。深谷さんはサンプラザの店を長男に譲って、新しく自宅の敷地内に美容室を建てた。働くことが生きがいだったので、80歳くらいまでは働こうと考えていた。火曜日の定休日と正月三が日以外は休みも取らずに働き続けた。美容室には近所の人、サンプラザ時代の客だけではなく、わざわざ双葉町や大熊町から通う客もいたという。深谷さんにとって、毎日気心の知れた客と接しながら髪を扱う時間はとても楽しく、笑いが絶えない日々だったという。髪を切った後に次のお客さんがいない時には、そのまま一緒にお茶を飲みながら、人生相談を受けることもあった。美容師と客以上の人の繋がりが嬉しかった。

１９７０年に建てた自宅は８ＬＤＫの２階建てだった。徐々に手を加え、みんなで過ごせるように、キッチン・リビング・ダイニングを隣の部屋と繋げる形に改装して、28畳ほどの広さにした。キッチンは対面式。料理をしながらみんなで話せるようにした。原発事故前は、自宅にときどき友人や知人を呼んで、居酒屋のように手料理を振る舞って、賑やかに楽しく過ごしたという。

しかし、この生活は２０１１年3月11日を境に一変する。

地震が起きた時、客の髪にパーマをかけているところだった。慌てて外に出ると、「地震が来たので避難してくださ い」とアナウンスがあり、消防署職員からは「西に逃げてください」と言われ、言われるがまま逃げた。その時には、一時的な避難で、すぐに戻ることができると思っていたので、仕事着のままだった。深谷さんはどこに行ったらいいのかわからず、とりあえず、近くの大熊町で暮らす長男夫婦と合流した。その日の夜9時頃、長男の車のテレビで原発が大変になっていることを知り、ここにいてはダメだと、歩いて大熊中学校の体育館に移動した。大熊中学校は、東京電力福島第一原発からわずか3キロ圏内。しかし、その時には避難しなくてはと考えただけで、原発からの距離は頭にはなかったという。

大熊中学校の体育館は大勢の人で溢れかえっていた。深谷さんはリウマチの持病があることを説明して、建物内のストーブを譲ってもらった。冷たい床にビニールシートを1枚敷いただけの上で、長男の妻が持ってきてくれた毛布1枚を被り、ビスケット3枚を少しずつかじりながら眠った。当時の気象庁の記録を確認すると、付近の最低気温は氷点下2度を下回っていた。

翌朝、突然、「バスが出ますから逃げてください」と言われ、訳がわからないままバスに乗り込み、田村市常葉町《ときわまち》の体育館に移動した。常葉体育館に避難してきた人は2000

人を超えており、寿司詰め状態だった。ライトで明かりをとり、配布された夜ご飯は塩おにぎり1個。ビニールシート1枚を敷いてあるだけで、身につけられるものはそのままで、古い掛け布団1枚をかけて寝た。

翌朝配布されたのは8枚切りの食パン1枚。朝の冷え込みはきつかった。深谷さんは持病があり、死も頭をよぎった。その後も避難所などを転々とし、震災から4年後の2015年8月、郡山市富田町にある復興公営住宅に入居することができた。隣の部屋の物音も、刺すような冷たさの隙間風も、ようやく気にしなくても良い環境での暮らしだった。ここにたどり着くまで10ヶ所も移動しなくてはならなかった。深谷さんは、入居した時には、やっと死に場所が見つかったと、安堵する思いだったという。

しかし、現実は厳しかった。深谷さんは「被災者」という偏見の目で見られるのが怖くて、避難者であるということを外で言うことはできず、富岡で生活していた時のように周りの人と馴染めなかった。

原発周辺で暮らしていた市民の多くは、深谷さん同様に生業を奪われた。東京電力は、避難指示が出された市民に対して、国の定めた指針に基づき賠償金を支払った。2020年1月現在、東京電力の賠償額は個人や法人などに対して併せて9兆3000億円あまりにのぼる。賠償の対象に該当するか否かは、国の定める指針に沿って判断されてきた。もらえた人、もらえなかった人、額の大小や、そもそもの被災の有無など、賠償金の受け取りを巡ってそこに分断が生まれた。

深谷さんが避難生活を続ける友人と、近所の焼き鳥屋で食事を取っている時に、店内にいた酔っ払いの男に絡まれたことがある。深谷さんはその時の様子が忘れられない。

「『お前らはいいべって、避難者は。1億円ももらっている人もいるんだって』って話になって、びっくりして。そして『それは税金なんだからな』って酔っ払った状態の人に言われてね、私はかっとなって『取り消してください』なんて言ったんだけど、そこのマスターも『ちょっと待って』なんて言ってね。他にも、タクシーに乗ったら、『避難している人はみんないっぱい賠償金もらって、買い物いっぱいして、うちにいるよりよっぽどいいべって』。タクシーの運転手さんに言われて。やっぱりみんなそういう目で見てたんですよね。あの賠償金がみんなの妬み嫉みの原因だったのかもしれませんね。私、何回も言ったことありますよ。お金なんていらないから元に戻してくださいって。何回も言ったんですけど」

公営住宅に住む住民は皆不安やストレスを抱えていて、住民同士で争いになってしまうこともあるという。深谷さんは法廷の証言台で、最後、裁判官に向かってこう訴えた。

「避難するのはどういうことなのか、その大変さをわかっていただきたいです。原発事故のために苦しんでいるのは私一人ではありません。郡山市のショッピングモールに行った時、私の美容室のお客さんだった60代の女性が椅子に腰掛けているのを見かけました。私が声をかけると、彼女は私の手を握り、大声で泣き、借り上げアパートの隣の人に避難者とは付き合いたくないと無視され、周りの人も同じような態度で、もう限界だと、富岡に帰りたいと私に訴えました。私も一緒に泣きました。家を追われ、見知らぬ土地で生活することは年を重ねる程に大変です。心安らかに過ごせるところがないのです。いつも先の見えない不安や寂しさがつきまとい、満ち足りたと思うことがありません。この重い荷物を背負い、このまま年をとって死んでいくのでしょうか。これからの人生は、仕事も何もかも無くなってしまったし、誰とも関わらず、与えられた時間を静かに過ごしていくしかないと思っています。原発事故が起こらず富岡町に住み続けていたならこういう気持ちにはならなかったと思います。国や東電には、『あの日の私を返してください』と言いたいです」

こうした人々の無知や誤解、偏見によって、いわれのない差別に苦しむのは深谷さんだけではない。本来であれば、被害を生む背景に目が向けられるべきだが、なかなかそうならないもどかしさを痛感している。原発事故による不条理をさらに読み解く前に、取材中に出会った、偏見による分断の現場をもう一つ共有しておきたい。

難民≠犯罪者

東京都港区港南5―5―30。コンテナヤードとマンションが共存する出島。レインボーブリッジを目の前に臨む湾岸沿いに、東京出入国在留管理局の施設がある。JR品川駅からバスに乗って約10分。そこに「分断」の地があった。

施設の外観を撮影するため、三脚にカメラを設置し建物の上階を見上げるとかすかに人の叫び声が聞こえた。

「おーい！」「出してー！」

ガラス窓の向こうに格子が見えた。目を凝らすと手を左右に振る人影が浮かび上がり、さらに凝視すると何人もの人たちがこちらに向かって懸命に何かを訴えている。慌ててカメラに望遠レンズを装着してファインダーを覗くと、外国人と見られる人たちの顔が並んでいた。「TVに渡してくれる？　OK？　ありがとう」。この映像をテレビで放送してくれということだろうか。自分たちの状況を「伝えてほしい」と私に向かって必死に呼びかけていた。入管の施設で一体何が起きているのか？　想像していなかった事象に遭遇した。

この施設の外観は建物同士が「X」に交わり相互に監視し合うような構造になっている。刑事被告人や死刑囚などが収監されている東京拘置所に似ている。

ここは日本に滞在する外国人に関わる様々な手続きを行う場所でありながら、不法滞在や刑法に反する行為などで日本政府から「退去強制」の対象とされた外国人の収容施設でもある。そして、ここには、戦火や政治的迫害から自身や家族の命を守るために日本に逃れてきた人々も収容されている。「難民申請」が認められなかった人たちだ。

チョラク・メメットさん

「トルコではいろいろな差別を受けて、難民として日本に来ました」

去年6月、品川駅前のオフィスビル内である男性が会見を開いた。新聞社やネットメディアの記者を中心に30人ほどが男性の言葉に耳を傾けた。テレビ局は1社が来ていた。

彼はクルド難民のチョラク・メメットさん。39歳。２０１８年1月に品川の入管施設に強制収容された。それから1年半、弁護士や支援者たちの訴えが届いたのか、この日「仮放免」され、直ちに会見を開いた。

メメットさんは、2004年、ビザがなくてもいち早く入国できる日本にやってきた。メメットさんには妻と3人の子どもがいる。トルコ政府は、少数民族であるクルド人の独立運動に対する弾圧や迫害を強めており、メメットさんは自身や家族の命を守るため日本への渡航を決意した。日本とトルコの間には観光や会議への出席など、短期滞在についてはビザが免除される取り決めがあるからだ。長期滞在のためにはビザの取得が必要になるが、「難民条約」に加盟している日本政府の対応を信じての渡航だった。ところが、来日後、メメットさんの難民申請は却下され続けた。クルド人への迫害が続くトルコに戻る選択肢はなかった。子どもたちにも安心して教育を受けてほしいという親の想いもあった。しかし、日本政府からは国外退去か、入管施設に収容されるかの選択を迫られ、メメットさんは2018年1月11日、品川の施設に収容されることになった。以来1年半もの間、家族は引き離され、先行きを見通すことができない暗闇の生活を強いられることになった。

難民問題を専門に活動する大橋毅弁護士や民間の支援グループ「クルド人難民Mさんを支援する会」、2018年4月に茨城県牛久の東日本入国管理センターで起きた収容者の自殺事件をきっかけにツイッター上で立ち上がった「#FREEUSHIKU」などが中心となり、メメットさんの早期釈放を求め、署名運動も始まった。

問題の背景をもう少し説明したい。メメットさんと家族は、難民条約が定義する条件に当てはまる境遇にある。一家は、国を持たない世界最大の少数民族と呼ばれるクルド人だ。国連によって採択され日本をはじめ各国が参加する難民条約は、難民を次のように定義している。「人種、宗教、国籍若しくは特定の社会的集団の構成員であること又は政治的意見を理由に迫害を受けるおそれがあるという十分に理由のある恐怖を有するために、国籍国の外にいる者であって、その国籍国の保護を受けることができない者又はそのような恐怖を有するためにその国籍国の保護を受けることを望まない者」。メメットさんは、この条約が規定する政治的迫害の危険にさらされてきた。メメットさんの9人の兄弟の中には、迫害されたクルディスタン人の独立国をもとめるクルド労働者党を支援している人がいる。メメットさん自身はクルディスタン労働者党に所属していないが、トルコでは、家族がトルコ政府から不当に捜索や事情聴取を受けるなど、切迫した危険があり、とても帰ることのできる状況ではない。メメットさんの家族は、クルド人だけでなく少数者の権利全般を保障しようとする国民民主主義党（ＨＤＰ）を支持。そのＨＤＰの政治家も、トルコでは10名以上が政治弾圧を受けて刑務所に入れられているという。

支援団体によると、メメットさんは、個人としても、不当な危険にさらされてきた。

メメットさんは、２００４年に来日してから、クルド人の年に一度の春分や新年を祝う祭り「ネブルーズ」に参加した。トルコ国内では度々この祭りで警官隊との衝突が起きる。メメットさんの家族はトルコ政府からは「クルド人独立を広めようとする危険な活動家」とレッテルを貼られた。同じ祭りにいた妻の弟は、トルコに戻った際、イスタンブール空港で捕まり、４ヶ月間以上も刑務所に入れられた。メメットさんがトルコに戻れば、同じことが起きる可能性が高い。

支援グループではメメットさんが置かれた状況を理解してくれる人を少しでも増やしたいと、情報発信を続けてきた。

クルド人は歴史的に、イラン、イラク、シリア、トルコをはじめとする様々な国で暮らしてきた。もともと、クルド人の住んでいた地域が、様々な国境によって分断されてしまったからだ。各国で、クルド人としての文化や言葉、歴史や誇りに対する、強烈な差別がある。クルドの人々は、いつか自分たちの国を持ちたいと念願。独立をもとめることで、熾烈な弾圧を受け続けてきた。トルコに住むクルド人は、クルド語訛りのトルコ語のために、日常的に差別やハラスメントを受けている。兵役に行けば、トルコの兵隊として、同じクルド人に銃口を向けなければならない場面も出てくる。

メメットさんは、難民申請が却下される度にこれを不服として再申請を繰り返してきたが、2018年、いよいよ強制的な収容を受け入れざるを得ない状況に追い込まれた。

日本では、1982年に難民認定制度が導入されて以来、2018年までに7万人を超える難民申請者が保護を求めたが、日本政府が認定したのは750人。認定率はわずか1%。ここ最近の認定率は1%を切っている。ドイツやイギリス、カナダ、フランス、アメリカなど先進国各国の多くは、低くても二十数%近くの認定率がある。それだけに、日本政府の認定率の低さは異様だ。トルコと日本政府は友好関係にある。日本政府はこれまでトルコ国籍のクルド人を「難民」として一人も認定していない。クルド人への難民認定は両国の政治問題の狭間で身動きが取れなくなっている。難民が直面するこうした問題を知っている人はどれくらいいるのだろうか。東京都心の分断に気がついてほしい、#FREEUSHIKU はこう呼びかける。

「メメットさんが、クルド人として生きているだけで政治的迫害を受けていることは、明白です。これが難民条約の規定する迫害でないなら、何が迫害でしょうか。難民申請を却下されていても、法務大臣の裁量で、人道的理由による在留特別許可が発行されることがあります。在留特別許可が与えられれば、子どもたちは安心して病院に行くこともできます。今は、健康保険にすら入ることができません。チョラク一家は、トルコに帰ることができないのに、難民として認められないため、犯罪などを全く犯していないにもかかわらず、『仮放免』という偏見を持たれるカテゴリーに入れられています。健康保険も、住民票もない生活を続けています。就労許可もなく、子どもたちは日本で育ち日本の学校で学びながら、将来の不安を持っています。そのような中で、お父さんが帰って来ない生活になってしまったのです。犯罪も犯しておらず、生まれた民族のために迫害されて来日し、日本社会でしっかり生きてきたチョラク・メメットさんを、このように子どもたちから引き離すことは、直ちにやめてください。妻と子どもたちのもとに返してください」

こうした呼びかけによって少しずつ支援の輪は広がり、署名は6000筆以上集まった。メメットさんは2018年6月17日、一時的に拘束が解かれる「仮放免」によって、家族との再会を果たした。しかし、求めていた難民の認定は却下された。

冒頭紹介した記者会見は、まさにその日に行われた。メメットさんは開口一番、記者たちに向け静かに語りかけた。

「トルコではいろいろな差別を受けて『難民』として日本に来ました」

メメットさんの表情は固かった。やつれた表情で時折目線を落としながら、慎重に言葉をたぐり寄せるようにして日本語で施設内での様子を語り始めた。2018年3月11日、メメットさんは施設内で体調が悪化。不調を職員に訴えるが、適切な対応が取られなかったという。妻が面会の際にメメットさんの異変を知り、救急隊に搬送を依頼。救急車が施設に向かったが、入管側に拒否され、隊員が中に入れないという状況が、ツイッターでライブ配信された。一体何が起きていたのか。毎日新聞の記者がこう尋ねた。

(記者)救急車が来た時には、身体はどうでしたか?　気持ちはどうでしたか?

(メメット)担当さんに、「担当さん、担当さん」と言っても誰も来てくれない。

(記者)「助けて」と言ってもですか?

(メメット)言っても来てくれない。「カメラが付いているから、何かあったら(こちらから)行く」という形でした。言っても誰も来ない。

メメットさんの説明によると、一人部屋には監視カメラが付いており、コミュニケーションはそのカメラを通じて行うのが基本だったという。体調不良は14日まで続きその後、ようやく医師による診察を受けることができたが、その間、頭痛、吐き気、立てなくなるほどのめまいなどに悩まされ「助けてほしい」と訴えるものの、職員からは「まだ息をしているじゃないか」という返事が返ってきただけと打ち明けた。

大橋毅弁護士は、入管職員とメメットさんがどのようなやりとりを交わしたのか、どのような診察の状況だったのかを明らかにするため情報公開請求による開示を求めたが、公開された資料はほぼ黒塗りで詳細が明かされることはなかった。仮放免の理由も説明がないままだ。

国際人権規約の第6条では「すべての人間は、生命に対する固有の権利を有する。この権利は、法律によって保護される。何人も、恣意的にその生命を奪われない」とある。メメットさんの話を聞いていると入管の対応は人権を蔑ろにする行為であることが明らかだ。

会見にはメメットさんの妻も参加し、記者たちの質問に応じた。日本人に対して伝えたいことは何かを聞いた。クルド語を家族が通訳し、メメットさんの妻はときどき声を詰まらせながら、会場の後ろまで通る澄んだ声でこう訴えかけた。

「日本人の方と話す時に、難民と言ったら、その言葉だけで、怖がる。難民という言葉を知らない人には『どういう意味ですか?』と聞いてほしい。それは本当に嫌な気持ちです。知らないのであれば、どんな意味なのか聞いてほしい。私も自分のことを話したい。日本の中で難民として生活するのは大変です。難民が悪いことと思われているのは嫌な気持ちです。私たちは悪いことはしていません。犯罪者として日本に来ていないのです。

私は今までは日本の国とか日本人の方は、私が良い人として生きていけば、あなたは悪い人、あなたはここ悪いと言われることはないと思っていたんです。でも、今、1年半経って、私が頑張っても、意味ない、良い方には行かない。日本人のことを私も理解して、日本のルールに慣れるように頑張っても、この1年半で起きたことによって、『私には国がないんだ』ということをもっと強く感じるようになりました」

入管施設内での様々な人権蹂躙《じゅうりん》はメメットさんのケースに留まらない。各地の施設で先行きの見通せない長期勾留などに抗議するハンガーストライキも広がった。

迫害を逃れ、日本政府に救援を求めようやくたどり着いた先で受ける、さらなる差別。「難民条約に加盟している」と言わないでほしい、という声さえ当事者たちから聞いた。長崎の収容施設では、ナイジェリア国籍の男性がハンガーストライキを行い、餓死している。

品川の入管施設で見聞きした悲痛な叫び声と難民申請者たちの陽炎のような姿は映画『わたしは分断を許さない』の撮影中に偶然遭遇した光景だ。映像を何度見返しても胸が締め付けられる。映画では、脚本家のきたむらけんじが唸りながらこの1文を書き込んだ。

〈これが、日本の入管施設で行われている日本政府による「仕打ち」だ〉

施設の目の前には、分譲マンションが建ち並んでいる。夜、現場に立ち建物を見上げると、各部屋には白色灯の柔らかな光が点々と灯っていた。家族の団欒の様子がカーテンの奥に透けて見える部屋もある。
収容されている外国人たちがどのような思いでそれを見つめているのか。想像してみてほしい。

わたしが守るもの

夜、塾帰りの兄を待つ車の中で母親は幼い弟に優しい口調で語りかけた。薄暗い車中で何かを察したのか少年は足を前後に振りはじめ、不安そうに窓の外を見ていた。

（母親）たっくん。
（子ども）あの話はしないで。わかるよ。注射のことでしょ。やだ。
（母親）明日の注射頑張ろう。
（子ども）やだよ。やっぱり行きたくない。
（母親）避難者検診してもらおう。

（子ども）やだ。

（母親）そしたらさ、ママ、ずっと手を握ってる。

（子ども）やだ。手を握っていても。

（母親）怖くて泣いちゃってもいいけど、動いちゃダメだよ。

（子ども）動く。

（母親）そしたら変なところに針入っちゃうよ。ちゃんと病気とか悪いところないか検査してもらおうよ。

（子ども）いい。

（母親）そしたら大丈夫じゃん。元気で心配なく過ごせるじゃん。たっくんがやってくれないと心配。

（子ども）心配でいい。

（母親）わかるよ。だけど一緒に頑張ろう。3人で。ねぇ。にいにとママと3人で頑張って受けよう。

久保田美奈穂さん

久保田美奈穂さん、41歳。東京電力福島第一原発の事故で国や電力会社に賠償や責任の明確化などを求め訴えを起こした「生業訴訟」の原告の一人だ。

原発事故当時、夫と、当時6歳と1歳の息子2人の4人で、福島県の隣、茨城県水戸市で暮らしていた。一時栃木県に避難したのち水戸に戻ったものの、放射性物質の拡散から子どもを守りたいと、事故から3ヶ月後の6月、水戸から2000km近く離れた沖縄に母子で避難した。原発がないというのも沖縄県を選んだ理由の一つだった。家族は離れて暮らすことになった。

原発事故で久保田さんと子どもを取り巻く環境は一変した。沖縄に避難する前、地元での生活は不安の連続だった。久保田さんは、インターネットで情報収集をしたり、ママ友と情報交換したり、放射線の値を測るガイガーカウンターを買って、自宅やその周辺を計測したり、幼い子どもたちをできる限り被ばくさせたくないと必死の毎日だった。

県が公表した記録によると水素爆発後、水戸市内の空間線量は1時間に1・5マイクロシーベルトを超えたのをピークに、3月末までの間は、1時間に0・2から0・4マイクロシーベルトの値で推移した。当時、国は一般生活者の年間許容量（追加被ばく線量）を1

ミリシーベルトとしていた。１時間に平均で０・23マイクロシーベルト以上の放射線を浴び続けると、この１ミリシーベルトを超えてしまうこともあり、母親たちの間に不安の声が上がっていた。

久保田さんは、子どもたちはなるべく外に出さず、外出時は必ずマスクをつけさせた。自宅内になるべく放射性物質を入れないように、子どもや夫が帰宅した後は、玄関で服を脱がせて、そっと洗濯機に入れて、すぐ洗濯すると共に、すぐにシャワーを浴びさせた。当時の様子を久保田さんは、法廷でこう証言した。

「１日に10回程度、家中の拭き掃除をしました。拭き掃除をした後に室内の線量を測ると、０・19マイクロシーベルトだったのが、０・11マイクロシーベルトまで落ちるのです。２分と経たないうちに、元の数値に戻ってしまうのですが、一時的にでも下がるということは、効果があるのだと思い、必死に家中を拭きました。食べ物にも、もちろん気をつけており、水も買い、九州産の食品にこだわりました。私がここまで気をつけていたのは、息子たちのためです。将来、息子たちに何らかの健康影響が出て、『なんでお母さんあの時逃げてくれなかったの？』と問われたら、言い訳できないと思ったからです」

こうした状況から少しでも遠く離れた場所で子どもたちにのびのびとした生活環境を作ってあげたいと決断したのが、沖縄への避難だった。しかし、放射線に対しての考え方で夫婦の意見は対立。折り合いがつかなくなっていた。

震災前、久保田さん一家の暮らしは穏やかだった。夫は仕事が忙しく、朝早くに家を出て、夜遅くに帰宅する毎日だったが、週末は家族で外出をするなど、ふれあいを大切にしていた。夫の両親も息子たちを可愛がっており、よく家族で夫の実家へ泊まりに行っていたという。

自宅のあるマンションには、同世代の子どもを持つ家族が多数住んでいたので、家族ぐるみの交流が盛んだった。子どもたちを遊ばせながら、ママ友と、子育ての悩みから夕食のメニューの話まで、他愛のない話に花を咲かせ、一緒に賑やかな食卓を囲み、寝る時間にお別れをするという毎日だった。春には、目の前にある桜並木の下で、みんなでお花見をし、秋には、みんなでリンゴ狩りに出かけた。子どもを中心に、家族やたくさんの友人と交流する毎日を送っていた。

沖縄へ避難してからは、こうした安定した日々は失われ、「茨城に戻ってきてほしい」と訴える夫と、子どもの健康を第一に考えたいと提案する久保田さんとの喧嘩は絶えなくなった。気軽に相談し合えた近所の繋がりもなくなり、久保田さんは葛藤の日々が続いた。子どもにとって、家族にとって、何が最良の選択なのか自問自答が続いた。

当時の様子を、久保田さんは法廷でこう証言している。

「夫や夫の両親は、避難し続けることに反対しています。夫とは、当初帰宅を予定していた２０１１年9月には戻らないと告げてから、放射性物質の話になると喧嘩になるようになりました。夫は、茨城は安全だという前提で話をし、私は絶対に戻りたくないという思いでしたので、話し合いは平行線でした。しかし、息子たちに受けさせた健康診断の結果を見た時から、私の中に避難生活を続けることへの迷いが生じました。２０１２年10月の健康診断の結果、長男は甲状腺ホルモンの数値が、次男は肝機能に関する数値が高いということで、２人とも要観察となりました。あれだけ気を付けていたのに、初期被ばくをしていたのでしょう。それまで、避難をしないという選択肢が、私の中にはありませんでした。家族や友達と一緒にいることよりも、息子たちの健康が圧倒的に大切だと考えていたからです。しかし、健康診断の結果を見て、結局は、このまま避難を続けても、将来、息子たちに健康影響が出るかもしれない。だとしたら、このまま寂しい思いをさせ続けることは、良いことなのだろうか。息子たちに、ただ、父親や祖父母、友達に会えない寂しい思いを、我慢させているだけじゃないのかと思うようになったのです」

久保田さんが選択したのは、沖縄にとどまることだった。そしてシングルマザーになった。

原発事故発生時は茨城県の水戸に住んでいた久保田美奈穂さん。子どもへの健康影響を懸念し、家族の反対を振り切って沖縄に移住する決断をした

「一回（茨城に）戻ろうと思って、そういう話を家族にした時に、『頭のおかしいお母さんに子どもが育てられて可哀想だから戻ってくるな』と元旦那さんに言われて。そういう目で見られるんだろうなというのはわかるんですけど、でも、やっぱり考えた方が良い問題だと思うので、どんな目で見られようが、自分が良くないよ、と思ったら良くないと言っていたいし」

涙を拭いながら、久保田さんは沖縄の空を見上げ、唇を噛み締めた。

後日、病院の診察室。ベッドに横たわって天井を見上げていた少年は、心細そうに母親に問いかけた。

（子ども）なにやるの？

（久保田さん）甲状腺の、喉のエコーをとります。

少年の腕には注射の跡。計測器の値を母親は見守り、特に大きな変化がないことを告げられると安堵した。

（久保田さん）無事に終わったね。どうだった？

（子ども）わかんない。

（久保田さん）え？

（子ども）わかんない。

（久保田さん）わかんないの？　痛かった？　大丈夫だった？

（子ども）大丈夫。

（久保田さん）今回もちゃんと終わってよかったね。

（子ども）コントローラー買える。

（久保田さん）買えるね。よかったね。

母と子はこうして手を握り合って生きている。

基地と原発

２０１９年7月。長く鈍い低音が遠くから迫ってきた。空を見上げると薄曇を背負ってプロペラ機の機影がゆっくりと視界を横切っていった。米軍機だ。

沖縄県名護市。在日米軍キャンプ・シュワブ前を訪ねた。辺野古への米海兵隊普天間基地移設に反対する人たちのテントが並ぶ。施設のゲート前には反対の意思を示すプラカードやゼッケンを着た人たちが座り込んでいた。土砂の投入を少しでも食い止めようと、30人ほどの男女が搬入用のトラックが来るのを待ち構えていた。座り込む人たちの背後には、民間の警備員たちが横一列に並んでいる。一様に手を後ろに組み、微動だにしない。サングラスをかけ、表情がわからない。無言で立っている。日差しを受け顔に汗がつたって

高江での基地移設反対運動に参加する久保田さん。後ろには警備員が一列に並ぶ

いる男性もいた。複数の警察車両とともにサングラス姿の警察や機動隊員が現場に集まってきた。年配の警察官が一脚につけたビデオカメラで座り込む人たちを撮影していた。そのカメラの先に、日傘をさして静かに座り込みを続ける女性がいた。久保田さんだった。再会した久保田さんは辺野古の反対運動に参加していた。

「私、今までそういう反対運動している人って、なんでも反対したい人たちなんだろうと思っていたんですよ。なんか私はもう、なんの問題も起きていなくて、本当に良い国だと思っていたし。だから、反対している人たちは、ただ反対したい人なんだろうなっていう見方をしていたので。で、その時、自分で高江に行った時に、本当にその人たちは、みんなにこの自然を残したいとか、子や孫に、今のこの綺麗なままの沖縄の海を残したいとか、もうこれ以上基地を作らせたくないっていう思いで座り込みをしているっていうことを初めて知って」

高江とは、沖縄県北部にある東村の一地域。やんばるの森に囲まれた自然豊かな場所にある。隣接する国頭村《くにがみそん》にまたがり米海兵隊の北部訓練場があり、返還条件としてヘリコプターやオスプレイの離発着が可能なヘリパッドの建設が進められてきた。森を切り拓いて拡大されることや離発着時の騒音などに対して反対の声が地元からも上がった。建設工事が進められる各ゲート前には市民によるテントが設置され、そこが反対運動の拠点となった。私も高江には定期的に通い、座り込みを続ける女性たちや、やんばるの豊かな自然を静かに伝えることで不条理な基地建設の実態を発信する男性など、様々な声を伝えてきた。

しかし高江では「分断」にも直面した。地元高江区の住民は建設反対の決議をとり、ヘリパッドの建設に対する抗議の姿勢を鮮明にした。一方で、現実的問題として計画が進められている以上、軍事施設との共存は避けられず、国から補償金として支払われる交付金を受け取る選択もした。ところが、その決断が地元紙などで報じられると反対運動をしている一部の人から「金がほしくて裏切るのか」「体を張って反対しているのがわからないのか」といった心無い声が高江の住民に寄せられるようになった。当事者はどのような心境でその声を聞いたのか。高江区の区長、仲嶺久美子さんを訪ねると、こう気持ちを打ち明けてくれた。「反対・賛成で動くのは一番簡単。でも、反対だけして残された私たちはどうなるのか。私たちの補償までしてくれるのか」。仲嶺さんは支援が必要な人たちが置き去りにされ、余計な対立だけが生み出されていることに不安と苛立ちを募らせていた。

久保田さんが訪ねた高江は、こうした複雑なジレンマを抱えた現場だった。久保田さんは、テントで座り込みを続ける人たちの声を聞いて、これまでにない自分の感情と向き合うことになった。

「集団自決の生き残りのおばあちゃんがそこにいて。で、『あんたね、原発で大変な思いをしてこっち来たのに、沖縄のこんなごちゃごちゃに巻き込んでごめんね』って言ったのがね、なんか心にグサってきて。で、なんかその、原発の生業訴訟に関わって、東電と国と交渉してる時とかも、福島の人たちが、自分の気持ちを訴えているんですけど、でも誰もなんかちゃんと聞いてなくって。目の前に被害に遭った人たちがたくさんいて、すごく訴えているのに、その人たちをまるっきり見ていないっていうのが伝わって。なんでこんななのかなって」

瞳の奥から涙が溢れ出るのを必死にこらえていた。久保田さんは声を震わせながら気持ちを聞かせてくれた。裁判の傍聴で国や電力会社の弁護士や役人が表情を変えることなく目線を落とし、被災した人たちの声を聞いている様子を思い出した。久保田さんは原発事故被害の当事者になることによって、初めて沖縄基地問題が「どこかの誰か」の話ではなくなった。なぜ、米軍の基地問題があるのか、なぜ日本政府と沖縄県知事が対立することになるのか。久保田さんは疑問が出るたびに、地元の人たちの声を聞き、そして調べるようになった。

もともと沖縄は400年以上続く「琉球国」という国だった。建国200年になろうかという頃、日本が攻め入って、自治権を認める「属国」として引き入れた。その後、400年続いた琉球国は日本に併合された。

第二次大戦では、米軍による上陸攻撃を受けた。この時、日本は沖縄を「捨て石」として本土を守る作戦を取るほど、日本政府内での沖縄への扱いは乱暴だ。第二次大戦が終わったあと、日本は連合国軍に占領され、全国に米軍基地が作られた。

ところが。1952年、占領から解放され日本が「主権」を回復した際、沖縄は日本から切り離され、占領下に置かれたままとなった。それから20年後の1972年、日本に沖縄が返還された。と同時に、全国の米軍基地は縮小、廃止された。

しかし、代わりに沖縄の基地は増え続け、今や、日本の国土面積の0・6％に過ぎない土地に米軍専用施設の70・3％が置かれる異常事態が今も続いている。

そんな中、1995年、沖縄に駐留するアメリカ兵3人が一人の少女をレイプする事件が起こる。高まる基地不要論をガス抜きするかのように、日米政府は米軍基地負担軽減と称し、沖縄本島の真ん中を占領する普天間基地の返還交渉を始める。ところが、返還は無条件ではなく、普天間にはない機能を備えた新しい基地を別の場所に作ることで合意する。沖縄では基地負担が減るどころか、恒久化されることを嫌って、新基地の建設が進む辺野古で反対運動が続けられている。2人の息子を抱えて避難してきた久保田さんが参加しているのはこの新基地反対運動だ。

日本政府は「辺野古が唯一の選択肢」と繰り返している。沖縄県と政府の対立は平行線のままだ。しかし、果たして本当に「唯一の選択肢」なのだろうか？　米軍関係者はこの対立をどう見ているのか。私は米海兵隊を取材をするため米軍専用施設を訪ねた。

唯一の選択肢？

米海兵隊普天間基地から北に約20分。北谷町《ちゃたんちょう》のキャンプ・フォスターを訪ねた。1975年までは米陸軍の司令部が置かれていたが、現在は海兵隊の中枢機能を有する専用施設だ。

入域ゲートで運転免許証を提出しIDチェックを終えると日本人の女性職員が迎えにきてくれた。地元沖縄出身の広報担当者だ。

「事件や事故以外は、米軍側のコメントはなかなか取り上げてもらえないんですよ。海兵隊も地域貢献の様々なプログラムを実践していてプレスの皆さんにも伝えているのですが」と苦笑いを浮かべた。会話を続けながら施設内を歩き、5分くらいで建物についた。

扉をノックし出迎えてくれたのは、在日米海兵隊広報官のルーク・クーパー中尉だった。30代で同世代だった。クーパー中尉は、ニューヨークの大学でジャーナリズムを学んだという。マスメディアの報道や情報公開の課題などで話が弾んだ。米軍に対する不信感やメディア報道の課題など、クーパー中尉はフラットな目線で率直に語った。「不信感の元凶は、情報公開の遅れ。私の役割は積極的な情報発信や情報交換の場を作ることだと思って赴任しました」。少し間をとって「機密に関しては話せないことがありますが」と付け加え、彼は肩をすくめて笑った。

クーパー中尉へのインタビューは約1時間。辺野古への新基地建設の話題に入る前に、沖縄に駐留する海兵隊員の課題について話をした。なぜ、治安に不安を感じさせるような事件が起きるのか。クーパー中尉は課題をこう認識していた。

「沖縄に送られてくる若い隊員は、社会経験のない人物が大半。特に景気が悪化すると働く場所に困り、海兵隊への入隊希望が増えます。そうした若者たちが本国で採用され、今後、海兵隊員として適性があるかどうかの判断をここ沖縄で行っています。社会経験のない若者たちへの教育が必要だと感じています。沖縄の人たちとの接点を作ることによって、この地域の文化や繋がりを経験させています。無料の英会話教室やボランティア活動など年間で１５００のプログラムを実施して、地域との共生を目指しています。海兵隊員の教育は私が向き合っている課題の一つです」

クーパー中尉は、言葉を選びながらも率直に海兵隊の課題を指摘しながら、現状を語った。今回のインタビューのテーマである「辺野古は唯一の選択肢なのか？」という点について、彼はどう語るのか。収録したインタビューをほぼノーカットで皆さんと共有したい。

INTERVIEW　ルーク・クーパー

堀　まず、沖縄の皆さんの選択と安倍政権との方針が対立していることについてはどう考えていますか？

クーパー　辺野古の問題が出ていますが、民主国家なので様々な意見を発するのはそれぞれの権利があり、尊重します。海兵隊としては、地域の問題、国内の問題に関してコメントする立場にはありません。海兵隊としては相互に日米安全保障条約機構があるので、辺野古に移設されても、どこに移設されても、適切に移設先が決まるまでは普天間での運用を続けます。

堀　日本側で県外、沖縄以外に移設するという条件が整えば、県外でも任務の遂行は可能なのでしょうか？

クーパー　海兵隊としては先ほどの安全保障条約機構に基づいていかなる場合でも抑止力を提供します。どこであっても、どこの場所であっても与えられた場所で自分たちの任務を全うします。

堀　日本では地理的に沖縄でなくてはいけないという意見と、例えば九州などでも可能だ

在日米海兵隊広報官のルーク・クーパー中尉。「機密情報については話せないことも多いが、積極的な情報公開でできる限り不信感を払拭したい」と取材に応じてくれた

という声があります。かつて日本の元防衛大臣が「沖縄辺野古への移設は地理的な問題ではなく、政治的な問題だ」と発言したこともあります。例えば九州などでも海兵隊の任務は可能なのでしょうか？

クーパー　海兵隊は与えられた場所で作戦を全うするというのが任務ですので、必ず任務を遂行する方法を見つけなくてはいけません。海兵隊は空陸任務部隊というのが基本になっていまして、航空部隊と地上部隊と、兵站《へいたん》部隊、その3つが一緒に活動しているのが海兵隊ですので、それらは近くにいなくてはなりません。海兵隊の中心的部隊は、航空部隊が岩国や普天間にありまして、韓国、ハワイにも分散されて航空部隊が配備されていますが、それぞれの地域から必要な任務を遂行できるようになっています。先日はフィリピンにいてそこから急遽ネパールの支援に行きました。そういう形で海兵隊はその時の状況に応じて臨機応変にその場その場で迅速に対応するという部隊です。空陸任務部隊というのが海兵隊の特徴ですので、空と陸と兵站部隊が常に緊密に活動するというのが条件になっています。海兵隊としては、次の代替施設が作られて運用が可能になるまでは普天間基地で継続していきます。

堀　辺野古の反対運動をしている方々からは、綺麗な海を埋め立ててほしくないという声が聞こえてきます。辺野古でなくてはならない理由は何なのでしょうか？

クーパー　日本政府の決断だと思います。海兵隊としては代替施設ができるまでは普天間基地での運用を続けます。

堀　実際に沖縄県外に移した場合、陸海空と一体運用できる範囲は本土のどの辺りまでになるのでしょうか？

クーパー　もしという仮説にはお答えできないというか、細かな条件、どこなら可能だというのは考えていません。海兵隊にとっては普天間基地の代替施設ができるまではそこで運用する、決まったところがあればそこで部隊を運用するということになります。

堀　沖縄にアメリカ軍の基地が集中していて、本土の方でも受け入れに関する議論がされていけば良いなと思っています。米軍の基地が沖縄に集中している利点は何か？　逆にリスクはどんな点にあるのか教えてください。

クーパー　これは日米政府間で決められて、海兵隊は行けと言われたところに行って任務を全うしているので海兵隊としての意見というのはありません。政府間で決められたところに我々は行きます。それがグアムかもしれないし、ハワイかもしれないし、そこで任務を全うします。私たちが言えることとは、移設先が適切に準備されていて、移設に向けた段階がスムーズに行われて、その時に運用が止まることがないように全てがスムーズに移行されることが大切です。移行の間に、有事が起きたり何かが起きて対応が遅れるというのはあってはならないと思っています。

堀　総合的な計画を定めていけば、様々な選択肢を日本側で用意するのは不可能ではないということですね。

クーパー　※だまって頷く。

堀　日本国内では安全保障の法律を議論しているところですが、フィリピンやベトナムでは中国軍の活動が活発になっていますね。海兵隊は中国の動向をどう見ていますか？

クーパー　海兵隊としてはどの国という名前をあげることはなく、有事があった際に迅速に対応するのが任務です。政治的な問題を考慮することはなく、何かあった場合にすぐに動くという部隊です。日頃から連携を取っている国と緊密に行動をしていくということです。フィリピンなどへの支援は今に始まったわけではなく30年も前からずっと継続した関係、交流をもって訓練をして備えてきたことが迅速な対応に繋がっています。常日頃からパートナー国と連携を取っておくことが大切だと思っています。

堀　基地の中で沢山の沖縄の人たちが働いていたり、フリーマーケットを開いたりして地元との交流を続けてきました。どういう目的でそうした交流を続けてきたのでしょうか？

クーパー　海兵隊の地域交流は海兵隊にとっては基本的に軸になっていることですが、実は年間１５００以上の交流イベントがあるんです。１日に5件くらいある。老人ホームに行ったり、高校生と活動したり、英語を教えたり地域交流をしています。海兵隊にとっては地元を知る機会になるし、地元の方にとっては海兵隊員の違う顔を知る良い機会になっています。

堀　何が目的ですか？

クーパー　海兵隊はこちらに滞在して2、3年で国に帰っていきます。沖縄の文化は本土とはまた違って豊富でユニークだと聞いています。だから、基地の外に出て行けば隊員も学べるのではないかと思っています。海兵隊は他の軍の中でも平均年齢が若いんですね。

高校を卒業したばかりの兵士などが来ますので、基地の外に出て行って同年代の人たちと交流し、文化を学びあっていくのが大事かなと思っています。

堀　戦後70年が経過してかつての敵国同士が友好関係を築いた稀有な存在。日本はアメリカによって守られてきたと思いますが、ご自身は日本に対してどのような使命感で任務に当たっていますか？

クーパー　米軍が守っているというその一言では説明できないと思っています。歩調を合わせて、自衛隊もあわせて一緒に活動しているという認識があります。そして沖縄に来ることについて、韓国であったりタイであったり近隣諸国との共同訓練などもありますから、近隣諸国と協力するということで自分も楽しみにして来ました。いろいろ学べるのではないかと思って沖縄に来ました。

堀　米軍は日本を守るためにいるわけではない、日本を守ってくれないという意見を言う人もいますが実際はどうなのでしょうか？

クーパー　相互安全保障条約機構にありますが、アメリカのためにいるというわけではなく、私たちは強い日米同盟で結ばれています。日米同盟のもとアメリカは駐留していますので、それは当たり前のこと、日本を守るということがここに含まれていると思っています。

堀　「おもいやり予算」によって米軍の施設が維持されています。これからも必要でしょうか？

クーパー　「おもいやり予算」について私たちはコメントする立場にないので細かい情報は言及できませんし確認が必要です。自分としてはこの70年の間に日米の同盟が結ばれましたし、友好国になりましたので、その中で自衛隊とも協力して、東日本大震災の時には一緒に活動しましたし、一緒に支援をするという強固な関係ができていると思っています。

堀　基地の問題をめぐっては沖縄県内からは反発の声も上がっていますがどう対応していきますか？

クーパー　そうした反発の声があるというのは認識していますが、それは沖縄の声といいますか一部の声と捉えていますし、他の一部には感謝している声もあると思っています。もしかしたらそうした声よりも反発の声が大きいからというのもあるかもしれません。私はフィリピンの災害の時に現地に行っています。そこでいかにオスプレイの能力が高いか、どれだけ物資を運ぶことができるかを目の当たりにしました。東北のように危機的な状況になった時に、支援を受けた人々はやはり運用に対しては理解や実感が異なるのだと思います。

堀　地元の新聞メディアは反対の意見が大勢を占めていて偏っているという声も聞きます

がどう捉えていますか？

クーパー　自分は海兵隊員として、また広報官として自分の任務はアメリカであったり、米軍受け入れのホスト国に対して情報をできるだけ公開する、できる限りの情報を開示するというのが任務だと思っています。相手の報道が否定的であろうとなかろうと、ネガティブに書かれたとしても同じようにメディアを招待しますし、情報をできる限り公開していこうと思っています。情報をどう伝えるかは相手のメディアによりますからそれは相手に任せることになります。私の任務は情報を公開するということに努めています。

堀　日本はリスクを開示することを恐れてリスクの開示を控える傾向が強いと思っています。原発の情報などもパニックを恐れて抑制されました。リスク開示についてはどのような考えをお持ちでしょうか？

クーパー　どんなリスクでしょうか？

堀　基地があることで攻撃の対象になるとか、先日ハワイで墜落事故を起こしたオスプレイの情報など、日本側は説明を十分にしているとは言えないという批判があります。海兵隊が考える、沖縄に駐留することのリスクとはどのようなものを想定していますか？

クーパー　ハワイの問題については私たちも情報を開示したいと思っていますが、調査中のものに関しては調査中としか発表ができません。オスプレイに関しては沖縄で問題があったわけではなく、沖縄では通常運行を続けます。海軍と共同で沖縄では通常どおり運用していくことにしています。もし、リスクに関して言及するのであれば、オスプレイはCH46（ヘリコプター）の代わりに導入したのですが、それに比べるともっと速く、高く飛べるようになり、訓練の範囲が広がりました。ですので沖縄で訓練のために飛行している時間は少なくなっているはずです。

例えばフィリピンでは、隔離されているような場所に他の航空機は着陸できなくてもオスプレイは着陸が可能でした。物資を輸送する能力も通常のヘリコプターに比べると3倍の能力がありますので多くの物資を運ぶことができました。２０１１年の東日本大震災の話に戻りますが、当時はCH46が駐機していました。１機ずつオスプレイに置き換えていますが、CH46で被災地に向かうには4日間かかったんですね。もしオスプレイがあれば5時間以内に行くことができたということです。ネパールの地震ではオスプレイを派遣しましたが、CH46では直接行くことができません。太平洋地域では支援を受けた人たちからは賛同を得ていると思っています。

堀　基地があることにより攻撃対象になりやすいということについてはどう考えていますか？

クーパー　正しくお答えできないかもしれませんが、軍があるということは、攻撃の対象になることもあると思います。しかし、軍があることで抑止力になって攻撃を止めることもあると思います。それが数値化されているかはわからないので自分では正しくはお答えできません。

堀　海兵隊としては日本で沖縄と政府の対立が起きていることについてどのような解決策を望むのか双方へのリクエストを教えてください。

クーパー　海兵隊の任務はいろいろな有事や危機的な状況から守ることが任務ですから、どのような状況でも任務を遂行できるように、外からの攻撃かもしれないし、地震のような災害かもしれませんが、いつでも対応できるように準備しておくことが海兵隊の任務だと思っています。

堀　辺野古は唯一の解決策だという政府の考え方については同意しますか？

クーパー　海兵隊としては日米双方の政府が決めたところであればどこにでも行きます。

以上が、クーパー中尉との対話だ。別れ際、握手をしながら彼はこう言った。

「参ったな。なかなか個人の立場では答えられないものもあったけど、メールでもいいので何か気になることがあればいつでも連絡をください。答えられる範囲になってしまいますが、繋がりを続けましょう」

日米両政府の取り決めによって、海兵隊はどの場所であれ最大限の能力を発揮する努力をすると語ったクーパー中尉。一体、どのような経緯で両国は辺野古への新基地建設を決めたのか。その背景をさらに探る取材を始めた。

密約

なぜ、沖縄にあれだけの数の米軍基地が集中しているのか、私たちは知っているだろうか。報道で伝えられる「沖縄の怒り」という言葉の源流に想いを馳せることができているだろうか。

私は米軍基地問題と向き合い続けてきた沖縄の歴史を知るために、先日、元沖縄県知事の大田昌秀氏をはじめ沖縄戦を体験した方々の元を訪ねた。

大田さんは１９２５年生まれ。92歳で他界した。学徒兵として沖縄戦の戦場に駆り出され、およそ20万人もの人々が犠牲になったといわれる過酷な戦闘状況の中でなんとか生き残った。戦後は、研究者として、そして政治家としてこの基地問題に関わり続けてきた。沖縄の米軍基地の歴史と内幕を一本のタイムラインで途切れることなく語ることができる数少ない人物だ。

普天間基地辺野古移設の問題を考えるには、戦前、戦中、戦後の歴史を紐解かなくては問題の本質はなかなか見えてこない。亡くなる直前に語った大田元県知事の証言を読み解いていきたい。

INTERVIEW　大田昌秀

堀　「戦後70年」というテーマで、米軍基地問題の源流を探る取材をしています。大田さんは１９４５年3月、沖縄戦の当時はどのような状況でいらしたのですか?

大田　僕は19歳で、首里にある師範学校の生徒だったわけです。戦争中にね、沖縄には12の男子中等学校があったんですね。それから10の女学校があったんですよ。その12の男子中等学校と10の女学校の全ての学校の10代の若い生徒たちがね、戦場に出されたわけですよね。普通はですね、そういう10代の若い人たちを戦場に出すためには国会で法律を作って、その法律に基づいて戦場に出すことができるわけですよ。ところが沖縄戦の場合は

大田昌秀（おおた・まさひで／1925年生まれ。2017年に92歳で没。沖縄県島尻郡具志川村出身。1990～1998年の8年間、沖縄県知事を務め、米軍基地問題と沖縄戦の記憶継承事業に積極的に取り組んだ。沖縄戦での体験を綴った『沖縄鉄血勤皇隊』などの著書がある）

法律もないまま、法的な根拠もないまま全ての学校の10代の若い生徒たちが戦場に出されて、過半数が犠牲になったわけなんですよね。私たちはですね、銃１丁と１２０発の銃弾と、２個の手榴弾を持たされて、半袖半ズボンで戦場に出されたわけですよ。

ちょうど6月23日、今の慰霊の日ですね、昭和20年の6月23日に日本本土では初めて「義勇兵役法」というのができて、男性の場合は15歳から60歳まで、女性の場合は17歳から40歳までの人たちを戦闘員として戦場に出すことが初めて可能になったわけです。ところがそれは沖縄戦での組織的抵抗が終わってからできた法律なんですよね。ですから沖縄の若者たちは法的な根拠もないまま戦場に送り出されて犠牲になったというのが多いんです。

堀　大田さん、その当時手榴弾を抱えさせられて戦闘に投入されたというのはどんなお気持ちでいらっしゃいましたか？

大田　私たちは徹底的な「皇民化教育」といってね、天皇のために命を投げ出すのが人間として一番幸せなことだと叩き込まれていたわけです。ところが私たちの同じ世代の本土の人たちと比べてみますと、本土には神田に古本屋がいっぱいあるわけですよね。ですから自由主義とか、民主主義とかがどういうものかをその本屋で買えば密かに読めるわけですよね。ところが沖縄にはそういう本屋がなくて、船でそんな本を持ち込んで来る場合には、港の方で「そんな本は上陸させせない」と船の中で全部処分してしまうんです。ですから、試験管の中に入れて純粋培養するように天皇制教育を徹底的に教わってきたわけです。

ところが、戦争が旧日本軍にとって不利な状況になってきた時に、旧日本軍の沖縄住民に対する対応を否応無しに見せつけられるわけです。例えばですね、住民がいたるところに壕を掘ってそこに家族がみんな入っているわけですけどね、本土からきた兵隊たちが「俺たちは本土から沖縄を守るためにはるばるやってきたわけだから、お前たちはここを出て行け」と言ってね、壕の中に入り込んできてそこの人を追い出して兵隊が入っちゃうんですよね。そういうことを毎日のように見ていたわけですよ。そうするとね、沖縄の住民は「敵の米兵よりも日本軍の方が怖い」という声も出てくるんです。なぜかというと、みな子どもを抱えているわけです。そうするとみな壕の中に子どもを連れて住むわけです。地下壕ですからそれこそ表現ができないほど鬱陶しい環境なわけです。そうすると子どもは泣くわけですよ。そこに兵隊が入っているわけですからね、敵軍に壕の所在がばれてしまうと言って、友軍の兵隊が「子どもを殺せ」というわけです。そうすると母親は子どもを殺せないもんだから子どもを抱いて壕の外に出てしまう。そうすると壕の外は砲弾が雨あられと降っているわけですから、死んでしまう。ですから今度は子どもを殺せない母親が子どもを抱いたまま壕の中に潜むんです。すると兵隊が近寄ってきて子どもを奪い取って銃剣で刺し殺してしまうということがね、何度も起きたわけですよ。

堀　それは大田さんもご覧になった光景ですか？

大田　もちろん。こういう光景を見ているとね「一体この戦争とは何だ」と思わざるをえなくなってね、それで旧日本軍に対する信頼感が一挙に失われたんですね。私が戦争から生き延びて真っ先にやろうとしたことは、なぜこんな戦争に自分たちは巻き込まれたかと。なぜ僕らのクラスメートや同僚たちがこんなに沢山死ななくちゃいけなかったかと。結婚もしない、家庭も持たないうちに死んでしまってね。これをどうしても明らかにしたいと思って20年間アメリカの国立公文書館に通い続けて沖縄戦の記録や資料を手に入れて分析してきたわけです。そうすると日本がいかに間違ったことをしてきたかもわかりましたし、なぜ沖縄が巻き込まれたかもわかりました。

堀　実際に、沖縄の本土復帰の過程において本土にあった米軍の基地が沖縄の方にどんどん移されていくことに繋がっていきますよね。時を経て、辺野古の問題が解決されないいま立ち往生していますね。大田さんならこの問題をどう解決していきますか？

大田　今、世論調査をしますとね、沖縄住民の83％が普天間飛行場の辺野古への移設に反対しているんです。ところが最近本土の方では普天間を辺野古に移すのに反対する人も少しずつ増えつつありますが、世論調査の結果を見ますとね、過半数の56％が「賛成」しているんですよ。なぜ賛成しているかというのを私なんかから見ますとね、中身をご存じないと。つまりね、ただ辺野古へ基地を移設すれば良いという話ばかりが言われてね、どういう基地ができるかという中身を知らないんですよ。

１９９５年の9月に少女暴行事件が起きましたね。それを受けて沖縄県民8万5０００人が抗議大会を開いたわけです。そしたら日米両政府が慌ててね。ＳＡＣＯ・沖縄に関する特別行動委員会というのを組織して、沖縄の基地を閉鎖する考えを発表したんですね。そして中間報告と最終報告を日米両政府がそれぞれ出したわけです。その報告書を僕らは丹念にチェックしてみたわけですね。そうすると日本政府は普天間飛行場を辺野古に移すとあった。現在の普天間飛行場を5分の1に縮小して移すと。そうすると現在の普天間飛行場の滑走路の長さは2700メートルくらいありますから、それを1300メートルに縮めて、前後に100メートル緩衝地帯を設け、長くても1500メートルに縮小して移すと。建設期間は5年から7年くらい。建設費用は5000億円以内と発表したんです。

ところがアメリカ政府の最終報告は、建設計画は最低でも10年かかると。それからMV22のオスプレイを24機配備するから、これが安全に運行するためには2ヶ年の演習期間が必要で、移設には少なくとも12年はかかると。建設費用は1兆円、あるいは1兆5000億円という人もいますがね。さらに運用年数40年、耐用年数200年になるような基地を作ると書いてあるんです。はっきりと。耐用年数200年になる基地を作られると沖縄は未来永劫基地と共生しないといけなくなりますからこれは絶対ダメだと言っているわけですよね。

本土では全く知られていませんけどね、吉田茂首相が平和条約を結ぶ時にですね、当時の西村熊雄という外務の条約局長に、できるだけ早く平和条約を結びたいからアメリカ政府に日本政府の条件を早く出しなさいと指示を出したという記録があるんです。その記録の中に、「琉球は将来日本に返してほしいけど今は米軍が軍事基地として使いたがっているから、バミューダ方式で使わせると書き入れなさい」と指示を出した、という記録が残っているんですよ。バミューダ方式というのは99ヶ年ですよ。私はそれを見た時にね、耐用年数200年というのは吉田総理の発言が生きているのかなと思ったわけです。

さらに言うとね、もともと普天間飛行場を辺野古に移すという計画については、はじめ日本政府は辺野古とは言わなかったわけです。沖縄本島の東側海岸と言って誤魔化しておったわけです。それが辺野古と決まった時に、私たちは「なぜ辺野古か？」というのを当然疑問に思ってですね、県に入ってきたアメリカで解禁になった公文書資料をチェックしてみたんです。そしたらなんと驚いたことにね、意外なことがわかるんですよね。

そもそも普天間飛行場を辺野古に移すという話はね、1996年に橋本総理と私との間で始まった話と思っていたわけです。実際に96年1月にはね、クリントン大統領が4月に来日されるということでね、橋本総理の密使として秩父小野田セメントの諸井虔会長が沖縄に一人で来られたんです。二人で会いたいということになり会いましたら、諸井さんは「自分は橋本の友人だけど、沖縄が基地を引き受けてくれないと苦労しているから、なんとか基地を引き受けてくれないか」と言うんですね。それで私は「申し訳ないけど我々は沖縄戦を体験しているから基地を引き受けることは到底できない。200年にわたるような基地を作ると書いてあるから到底受けられません」と言ってね、さらに「あなたが本当の友人だったら橋本総理に率直に『沖縄は基地を受け入れる気は全くないです』と伝えてください。基地を引き受けたら次に戦争が起きたら真っ先に沖縄が戦場になってしまう。だからこれだけは戦争から生き延びたものとして許すことはできない」と言ったんです。

1996年1月に私たちは「基地返還アクションプログラム」というのを出して、2001年までに一番返しやすいところから10の基地を返してくれと。2015年になると残りの嘉手納飛行場を含めて17の基地全てを返してくれと。そうすれば2015年に沖縄は基地のない平和な社会を取り戻すことができるからといって、これを日米両政府の正式な政策にしてくださいと要望したわけですよ。そしたら諸井さんが「2001年までに10の基地を返してくれというけど、最優先で返してほしい基地はどこか？」と尋ねるので「それは普天間です」と返信しました。なぜなら普天間には周辺に16の学校があり、それだけではなく病院や市役所もあって、さらにクリアゾーンといって、滑走路の延長線上には建物を作ったり、人間が住んではいけないようになっているんですけどね、そこに普天間第二小学校ができていて3000人の人が住んでいると。2001年までに10の基地を返してほしいというところに普天間を付け加えて、11の基地を返すことに日米両政府が合意したわけですよ。ところが後になってね、11のうちの7つについては沖縄県内に移設するというんですよ。もちろん県内に7つも移設するのは到底納得できませんと返したわけですよ。

ところがですね、県の公文書館にある資料を読むとこんなことが書いてあるんです。まず1960年代に米軍は「沖縄住民の基地に対する怒りが強すぎる」と言っているんです。1953年から1958年までは「島ぐるみの土地闘争」といって、米軍が農家の土地を強制的に取り上げて軍事基地に変えていったんです。それを「島ぐるみの土地闘争」といってね、沖縄の歴史始まって以来の大衆反米行動が起きたんです。そうした中、沖縄が日本に復帰する話が1965年頃に始まるわけです。アメリカ政府は沖縄が日本に復帰して、日本国の憲法が適用されると、沖縄県民の権利意識がますます強まって運用が厳しくなると。一番重要な基地は嘉手納以南に集中しているわけです。人口が一番多いところに集中しているもんだからね、それを一まとめにしてどこかに移そうと計画を立ててね、アメリカのゼネコンまで入れて西表島から北部の方まで全部調査したんです。その結果、大浦湾が一番良い、辺野古が一番良いと決定したわけです。なぜかというと那覇軍港は水深が浅くて航空母艦を入れられないわけですよ。ところが辺野古のある大浦湾は水深が30メートルあるんです。航空母艦を横づけできるということもあり、普天間の滑走路だけではなく、海軍の巨大な桟橋を作って航空母艦や強襲揚陸艦を入れようと。さらに反対側には陸軍の巨大な弾薬庫を作ろうと、核兵器を収容できる弾薬庫を作ろうと計画を立てたわけです。

２００８年に明らかになった話ですが、アメリカ政府は日本政府と密約を結んで、沖縄が日本に復帰して憲法を適用されてもいつでも基地の自由使用は認めると、いつでも核兵器を持ち込めると密約を結んで安心しておったわけです。ところが、一方で当時、アメリカはベトナム戦争で軍事費を使ってしまって金がないわけです。当時は建設費も移設費用も全て米軍の自己負担です。結局金がないから、自己負担できないもんだからこの計画は放置されてきたわけです。しかし、今、これが半世紀ぶりに息を吹き返してね、現在は、移設費も、建設費も、維持費もおもいやり予算も、みんな日本の税金でもつわけですよ。こんなありがたい話はないわけです。

普天間の副司令官にトーマス・キングというのがいてね。ＮＨＫのインタビューに答えてね、辺野古に作る基地は普天間の代わりの基地を作るんじゃなくて、軍事力を20％強化した基地を作ると言っている。今の普天間飛行場はですね、米軍のヘリ部隊がアフガン戦争やイラク戦争などで出撃するときに爆弾積めないので、嘉手納へ行って積んできたわけです。非常に不便だから辺野古に移したら陸からも海からも自由に爆弾を積める施設を作ると言っているんですね。それからＭＶ22オスプレイを24機配備する。実際には36機配備する計画になっているんですけどね、そうすると現在の普天間飛行場の年間の維持費は２８０万ドルだけれども、辺野古に移ったらこれが一気に２億ドルに跳ね上がる。これは日本の税金でもってもらおうと言っているわけですよ。
本土の皆さんがこういう中身を知っていたらね、辺野古の基地を作ったらね、耐用年数200年で1兆5000億円という関西新空港並みの基地になると言っているのにね。自分たちの頭の上にどれだけの財政負担がおっかぶさってくるかも知らないもんだから賛成と言っているわけですよ。

堀　本土の皆さんには何を訴えたいですか？

大田　辺野古に基地を移すという問題をね、ただ移すという問題だけではなくて、どういう基地を作るのかという問題をね、真剣に議論していただきたい。そして自分たちの財政負担がね、どれだけになるかということを考えるべきだと。1兆5000億円かかると言われている負担がね、「おもいやり予算」などでどれだけついていくのかということについて、もっと真剣に考えないととんでもないことになりかねないと心配しているわけですよ。そんな財政のゆとりがあるとしたらね、福島県の復興を1日でも進めるべきだって言っているわけです。我々は。沖縄は本土復帰するまで憲法が適用されていなかったわけですよ。憲法を適用されないということがどういうことかと言いますとね、憲法には人間の基本的な権利とかね、それが全部うたわれているわけですよ。ですから人間が人間らしく生きていけないということなんで、沖縄は絶えずモノ扱いされて、日本本土の国益の名にお

福島から沖縄へ移住し、基地建設の反対運動に参加する久保田さん。沖縄の歴史に向き合い、運動に参加し、問題に向き合えば向き合うほど、何が正解かわからなくなる

いて、日本本土の利益を達成するための手段にね、モノ扱いされてきて、政治的取引の具にされてきたわけですね。ですから怒りが満ち満ちているわけです。

＊

沖縄の今は、私がここにいる今を繋いできた一本のタイムラインの上に立っている。歴史を知り、今を知り、そして未来を語る。無知であることは、今の私を見失うことなのかもしれない。久保田さんは、自らが直面した原発事故の経験から、今も、沖縄の歴史と向き合っている。

分断対談❸

「分断の時代を読み解く」

×評論家・宇野常寛

宇野常寛（うの・つねひろ／1978年生まれ。評論家。政治からサブカルまで扱う批評誌『PLANETS』編集長。著者が代表を務める市民投稿型のニュースサイト「8bitNews」の副代表。『遅いインターネット』（幻冬舎）、『ゼロ年代の想像力』（早川書房）などの単著のほか、共著にチームラボ代表の猪子寿之との対談『人類を前に進めたい チームラボと境界のない世界』などがある）

あらかじめ見たかったものを見たところで人は何も変わらない

宇野　今回堀さんは、取材の中で「見てしまったもの」とか「自分では予め見たいと思っていなかったもの」、つまりカメラに映したものじゃなくて、結果的に映ってしまったものをすごく引き受けようとしているなと感じました。取材って単に行けば良いというものではないと思う。行くこと自体が大変だというのはあるんだけど現場に行くことが目的化してしまっては意味がない。そこで目に映ってしまったもの、カメラに映ってしまったものをしっかりと検証する知性と勇気、そして発信していく覚悟が大事ですよね。

堀　僕自身初めて行って気づくことの方が大きいんですよね。

どうしても鉤括弧を埋めにいくような取材って、マスコミ時代にたくさんしてきて嫌だなと思っていたし、それがメディアへの不信感にも繋がっていたと思うんです。取材された側も、あなたが見たいものを見るためにわざわざ協力したわけじゃないのにという不満もいっぱいあった。

宇野　新聞やテレビの取材を受けるたびに思いますよ。鉤括弧を埋めるためにこういったセリフを聞き出したい、その一言を引き出すために僕に話を聞きに来ることが、新聞記者にしてもテレビの記者にしてもすごく多い。
でも僕は、ジャーナリズムってそういうことではないんだよなあと、僕自身も一発信者として日々感じながら仕事してるんですよ。何で現場に行くかというと、自己破壊のために行くわけじゃないですか。

堀　自己破壊？

宇野　自分たちが見えていないものとか、聞こえていないものを聞くことによって、一回自分の世界観とか理解なりを破壊して、それを再構成することでより深い理解にたどり着く。視点を少し変えることによってそれまで気づかなかったことに気づく。その成果を僕らが再編集して発信していくことでしか、人々に何かを伝えるという仕事は成立しないと思っています。
でも、みんないつの間にか現場に行っただけで満足してしまっている。つまり、観光客になってしまっていると本当に思うんですよ。絵葉書と同じ構図でセルフィーを撮ったり、旧所名跡の前でウィキペディアを引くように、あらかじめ見たかったものを見て、確認したところで人は何も変わらない。そこで目に映ってしまったものとか、聞こえてしまったものを引き受けるという態度は、そういうことではない。

堀　そうですよね。見ないようにしていたり、見たんだけど見なかったことにしてというのが問題になっている。そういう意味では、分断を生む一つの装置の中に当然、マスメディア、メディアの在り様というのは描きたいなと思っていたんですよね。

「割り切ってしまいたい」と思う心が、分断を生む

宇野　福島から子どもの健康のことが心配になって沖縄に移住した女性が登場しますよね。

堀　久保田美奈穂さん。

宇野　僕は久保田さんのことがずっと引っかかっているんですよね。彼女の行動はたぶん、すごく突っ込まれやすいと思うんです。子どもの健康被害について敏感になるのは、当時の社会状況を考えればある程度はやむを得ないことですが、彼女自身がどこまできちんと放射能被害の情報を調べられていたのかとか、移住先として沖縄が妥当だったのかとかいろいろ突っ込みどころがあると思ってしまう。おそらく、僕が親だったらそういう行動はしないだろうと思ったことは正直、間違いないんです。

堀　取材しながらもそう思う部分はありました。危うさであったり。

宇野　正直言って、非常に危ういと思う。十分慎重に判断したとは思えないような言動も見られたし、僕だったら絶対彼女のような行動はとらないと思うんですよ。

ただ、彼女が沖縄で米軍基地の反対運動に参加しつつも、米軍側が主催したオスプレイの試乗イベントに行くシーンがあるじゃないですか。あれがすごく良かったと思うんですよね。あのイベントはある種の米軍の懐柔策というか、プロパガンダというか、人気取りのイベントですよね。

堀　地域共生の象徴ですね。

宇野　現場には、無邪気にはしゃいでいる子どももいれば、現物見たさで来るミリタリーオタクとかもいた。そして中には久保田さんのように、基地の在り方とかについて強い政治意識を持って出かけた人もいたりして、それは少し混沌とした現場だったと思いますし、見ようによっては、米軍の懐柔策というか、ある種の地域住民のご機嫌取りのイベントに騙されている人というふうに映るかもしれない。

だけど僕は、あのシーンで彼女の割り切れなさを感じたんです。その感覚が残っていることは非常に大事なことだと思うんです。彼女はあの場面で確かに、住民に対するフレンドリーな米軍に、ベタに懐柔されているという側面もあったと思います。けれど、その中で彼女は、それと同じぐらい世の中を、イデオロギーで二分して単純化してしまうことの危うさに直面したと思う。

最近ずっと何年か前に亡くなった思想家の吉本隆明について考えていて、彼はあの安保闘争について、反体制側から発言しているんですが、同時に「既存の社会運動をもっとアップデートしなきゃいけない」と言うんです。彼は、「国会をデモ隊が取り囲んで機動隊と睨み合っている状況で、機動隊が正しいかデモ隊が正しいかだけで物事を考えるのではなく、そこにアンパンを売りに来ている出店のおっちゃんのリアリティに目を向けろ」と言うんですね。そうでなければ、社会運動というものはちゃんとアップデートできないと。久保田さんは現場に足を運んだことで、そのアンパン屋のおっちゃんに近いものを、結果的に知っていったと思うんです。

彼女のエピソードを前面に出すことは、堀さんの中で躊躇《ためら》いもあったと思いますし、慎重にやらないと彼女に怪我をさせてしまうという配慮もすごく感じました。それでも彼女のあのエピソードを残したということが、僕はすごく大事だと思った。

こういうことって結局は、割り切れないんです。でも少しずつ、この割り切り方だったらまだみんなが平等に分け合っていると思えるとか、この割り切り方で何年か耐えたらその間に別の方法を試して次のステージに進めるとか、そういうことを決めていくのが究極的には政治なんですよね。だからこそ、そういった割り切れないものをちゃんと持ち帰ってくるのがジャーナリズムの役割です。でも、今のジャーナリズムというのは、それはマスメディアもソーシャルメディアも含めて、割り切るためのものになってしまっている。その割り切ってしまいたい僕たちの心が、分断を生んでいるのではないかと思います。

堀　本当にそうだと思います。ずっと、分断の原因はなんだろうと思いながら取材をしていました。何かに石を投げるのは簡単なんです。

例えば僕は、平壌に行っていちいち驚くわけですよ。「あ、ハイヒールを履いてる」とか「スマホ持ってる」とか。でもそれは誰に驚かされているのかと考えると、「北朝鮮」という国に対して持っている既存のイメージでしかないんです。こういう固定観念の世界はもっともっと身の回りにあって、「こうあるべきだ」「こうに違いない」「こうに決まっているだろう」みたいな世界の中に僕たちはいる。そこに無自覚でいたら自分はやはり誰かを脅威として捉えて、その誰かを排除する側として居続けるんだろうなということをすごく感じながら取材していたんですよね。

宇野　何ヶ月か前に沖縄反基地運動に関わっている人と話をする機会があったのですが、あんまり対話にならなかったんです。

僕は基地をどうにかして縮小、できれば撤廃したいという自分自身の立場から、こういう形の世論の喚起が必要なんじゃないか、もっと持続的な運動にするためにはこういうふうに取り組んでいくべきではないかという提案を一生懸命したつもりなんですけど、その対話の相手には何を言っても響かない。その人の中には、僕からしてみれば陰謀論に聞こえるような隠された事実というものが存在していて、その事実が公表され広まりさえすれば、世界中の人々は自分たちが正しいと思ってくれて、それが民意となり米軍の基地が撤廃できるということをずっと判子を押すみたいに言い続けるんです。それは彼なりに沖縄の人たちに寄り添おうと思った結果だから一概に否定したくないんだけど、そうなってしまうと単純化されたストーリーに固執してしまって、本来であれば一個一個ていねいに解きほぐしていかなければならない複雑に絡み合った知恵の輪を、ペンチを抜いて力づくで引きちぎるような答えしかなくなってしまう。

複雑に絡み合っているものを力業で引きちぎると、もう元の形には戻らないくらいズタズタになった金属片がいっぱい残ります。彼自身はこういった断絶を現場に行ってすごく知っているんだろうけど、だからこそ、単に現場に行けばいいのではなくて、現場から持ち帰ってきたものを、しっかりいろんな角度から見つめ直すことが必要だと思うんです。現場に足を運ぶこととその現場を引き受けるということは、やっぱり違うんだなと僕が考えるのは、そういう理由でもありますね。

「決定的なリアリティ」のもと「問い」を立て直す

堀　経済的な効率や経済合理性が、人権や尊厳を凌駕していくような社会構造にNOと言わなきゃいけないんだろうけれども、自分がその渦中にいると、その仕組みの中にいることになかなか気づけない。安定した日常が必要なのはその通りですが、そういった中で知らず知らずのうちに何かが削り取られていき、経済合理性を優先することに自分も加担してしまっているんじゃないか。それを一つ、「生業」をキーワードに探ったんです。生業というものを通して、効率さが優先される社会に対してどう向き合っていくべきなのか。

宇野　僕も生業を基準にものを考えるのはすごく大事なことだと思っています。例えば、僕や堀さんが社会の問題に対して声を上げることは、元々こういった仕事をしているから誰からも後ろ指をさされませんよね。というか、たぶん反対にそれをしないとむしろ自分たちの仕事を応援してくれた仲間や読者から支持を失ってしまう。これが普通のサラリーマンだったり公務員の人が、政治の問題について何か意見を述べたりすると、たぶん日本では異常なことのように思われてしまう気がする。

堀さんが嫌いな大きい主語で語られることの多い天下国家のこととか、世界経済のことというのは、労働とは切り離された世界だと思われている。でもそれは違いますよね。実際に、TPPの問題一つとっても、農家のおじさんが米を作っていることにも繋がっている。さらに言えば、僕や堀さんの仕事はもちろんのこと、どんな仕事だって国内だけで完結するようなことなんて一つもなくて、働くことでもう世界に繋がっている。

ただ、みんなそのことが実感できない。インターネットでプロフィール欄に政治的な主張をぎっしり書いている人っていますよね。その人たちは、生活という経済の領域とSNSという政治の領域がぱっくり分断してしまっているんです。そうすることによって、本当に物事を考える時の土台になるような「決定的なリアリティ」を失ってしまっているのではないか。

堀　確かにそうですね。その「決定的なリアリティ」は本来、自分の足元や周りの人間関係を見ればあるはずなのに、そうは感じ取れない。

宇野　そうです。断絶なんですよね。つまり、大きな主語で天下国家のことを語る時は、自分の生活のことを全部忘れてしまっているんです。だから自分のことをすごく棚に上げて国家を論じ、国家と国家の在り方を論じ、グローバルな経済の在り方を論じて何が正しくないかを自分でジャッジして、他人に難癖をつけて良い気分になっている。

しかしその一方で、自分の等身大の生活においては、大きなことはほとんど忘れて、ちょっとした職場の人間関係とか、ちょっとした出費とか、そういうことばかりに気をもやしている。この2つは本来繫がっているはずなのに、特にこの国では、この2つが断絶した状態でものを考える癖がついてしまっている人が本当に多い。そこが僕らの内なる分断の最も大きな原因の一つかなと思っています。

堀　なんでそうなってしまったのでしょうか。

宇野　僕らのような言葉を使ってその2つを繫ぐ仕事の力の弱さなんだと思う。本来、それは堀さんのようなジャーナリストの仕事であるかもしれないし、僕のような批評家の仕事かもしれないし、あるいは小説家や映画監督といった創作の仕事かもしれないけれど、この2つを結ぶ力というのは、僕らの力不足もあって、非常に弱くなってしまっている。

僕は、自分の等身大の日常に閉塞しないために、大きいものについて考えることは必要だと思っています。そこの考え方は堀さんと少し違って、Google Mapが現在地を教えてくれるように、大きな主語を考えることは時には必要だと思うんです。

ただ逆に、大きい主語ばかりで等身大の自分のことを忘れて、まるで現実逃避するみたいに天下国家のことを論じ続けると、目の前の現実や足元がまるで見えなくなる。

堀　そうですね。

宇野　だから本来、この2つは、地続きでグラデーションのように繫がっていなければならないんだけど、そのための言葉というのが、今はとても不足している。

堀　どうしても今は、大きい主語の方がわかりやすく論じやすい。その上、ある意味語る上でリスクを背負わなくていいみたいなところもあるから、安易にそちらの世界から出ようとしないんですよね。それはもうまさに原発の運動がそうだった。

宇野　そうですよね。

堀　現実に福島の傷んでいる現場への手当ということよりも、「推進か反対か」「政治的なメッセージはどちらなのか」ということに終始した結果、現場のみなさんは傷んだまま孤立感を深めているわけです。それでいて、原子力の問題の何かが解決できたのかというと、結局のところ積み残されたまま２０２０年を迎えている。それで今、原発の話をすると、臭いものには蓋をしようということで、まだ原発の話をしているのかみたいな空気さえ生まれてしまった。

　だからまさに宇野さんが言うような徹底的なリアリズムを元にした言論であり、そういうことを考える場を作っていくことが必要なんだと思います。

宇野　そうですね。原発の話に関していえば、最初に自らの立場を明らかにしておくと、僕は基本的には原発に反対の立場ですし、安保法制も性急な手続きやその内容を見ても大きな問題があったと思っています。

その上で本当に慎重に言葉を選ぶと、どちらの運動も結果的には、ある種政略の道具になっていた側面が大きかったと思うんです。かなり短期的な政略の道具になってしまって、持続性があり広がりを持った大きな市民運動に育つことはなかった。その運動を主導したイデオローグたちの一部も原発問題などにコミットすることによって、自分のインフルエンサーとしての影響力を拡大するとか、そういうことしか考えていなかったように思います。

例えば2019年にあいちトリエンナーレで起きた表現の不自由展の問題にしても、多くの言論人たちは、このまま津田大介さんをスターにしていいのかみたいなことしか考えていなかったと思うんですよね。今のインターネット・SNSを中心としたメディアの状況と同じように、いかに自分の株を上げるかに集中して、問題そのものを置き去りにしてしまった。

インターネットやSNSによって個人が発信能力を持ち、相互評価し合うことによって、社会に生まれたダイナミズムはたくさんあると思うし、基本的には僕もそのダイナミズムを使って自分の活動を拡大している人間だけれど、そのような評価経済のゲームに溺れて、問題そのものを置き去りにしてしまったことが多かった10年であると思う。僕は、この10年であったそれらのことを反省しなきゃいけないと思っています。

だから、これからやらなければいけないのは選択肢を増やすことと、問いの数を増やしていくことです。いくつかある選択肢の中で、これが一番マシですよというのではなくて、問いそのものを変える。すると全く別の選択肢が現れる。そこを担える言葉を見直さないといけない。そのためにも僕らは、現場に足を運ぶべきなんですよね。

堀　そうですね。香港で取材した若者が「希望があるからやるんじゃない。やるから希望が生まれるんだ」という言い方をしていて、まさに今の設問の投げかけじゃないですけど、問いを投げかけることによって、次の扉が開いていくということですよね。その問いを設定するには、当然いろんなことに想像力を働かせなければならないし、いろんなことを知るというか語れるだけの何かを持っていたほうがいい。でも何でそういったことができなくなったのかな。問いかけられなくなったのか、それとも問いが乏しいのかな。

宇野　それはさっき堀さんの言った経済の問題と結びついていて、この10年はＳＮＳ上の評価経済という新しく出現した経済のゲームに、人類のかなりの割合が踊らされてしまったからだと思います。

結局一番横行したのは、マジョリティたちの俗悪な本音主義みたいなことを、うまく利用するということなんですよね。その代表がトランプですよね。結果的に一番得したのは彼だったわけじゃないですか。

言論やジャーナリズムは、こういう相互監視のネットワークみたいなものの外側がなくなってしまうと、すでに存在している大衆の欲望の中のどこの大きい塊にコミットするのかというゲームに変貌していくんです。それは、新しい問いを生むということではなくて、すでに存在していることの中から正解を選ぶという問題に、人々の言葉を変貌させていく。

堀　そうですね。限られた選択肢の中で選ばされていくと、当然回答が乏しくなるから、分断されやすいですよね。選んだものや選ばなかったものがわかりやすい社会というのは、二分されてしまう。こっちもあるしあっちもあるしこういう選択もあったんだというバリエーションの豊かさが必要ですよね。

接続する力が強すぎるから、分断が深まる

堀　『わたしは分断を許さない』は、自分では普段は言わない、割と強い表現にしてみたんです。その代わり、現場が多様であるということや、選択肢を広げるためにも、考える入り口を増やしたいという想いもあって、これだけいろいろな地域の分断並べて、統合してみようという試みでもあるんですよね。

宇野　ちょっとこれも慎重な発言をしないといけないんですけど、僕自身は分断が絶対にあってはいけないと思っているかというとそうでもないんです。ただ、分断が「固定化」してしまうことは良くないと思っていて、例えば場合によっては、人は人、自分は自分だって割り切ることとかは必要であると。そういうねじれの位置で、関わらないことを選択するというのも一つの知恵だと思うわけです。

なぜかというと、今、分断する力が強くなっているのはむしろ、接続する力が強すぎるからなんですよね。それはグローバル経済もそうだし、情報ネットワークもそうだし、世界が収縮していっているから、そこに抗うある種のアレルギー反応で分断しようという流れもある。一度分断して物事を考えてみようということは、上手くいけば多様性や、慎重さの擁護に繋がるはずなんですけど、今の問題は、すでに接続されてしまった世界を心理的に遮断するために分断が使われてしまっていることです。

つまり「自分たちに仕事がないのはあの移民たちのせいだ！」というふうに、隣人を悪魔化することによって自分のプライドを救済することに使われてしまっている。これは世界中で起こっていて、分断の間違った使い方をしてしまっていると思うんですよね。だから、みんな口では分断を許さないと言うけれど、何がどう分断しているのか、具体的にそれがどう作用しているのかを、もっとしっかりいろんな角度から検討した方が良いと思います。

堀　その通りですね。今回の映画を作る中でいろいろ俯瞰《ふかん》して見てみると、その分断のあり方にも種類があるなと思います。一見共存しているように見えるけれども、相互の疑心暗鬼によって違いが鮮明になり、どちらかを排除しようとして均衡が生まれている衝突の現場や、もしくは相互理解が生まれようとしていて、その違いを知ったからこそ、繋がろうとしているその秩序だったり。確かにその間にいろいろな線は引かれているけど、そこに成り立つ均衡は、全く種類の違うものだなと感じたんですよね。

だから一つには核やミサイル、拉致問題など日本にとって最も深い分断が北朝鮮との間にはありますけど、韓国にしても朝鮮半島とは物理的地理的にも、日本は共存共栄していかなければならない。でも政治が冷え込んでいる。その中で、国際ＮＧＯのＪＶＣ・日本国際ボランティアセンターなどが中心となって、約20年間、朝鮮との交流を続けている。

宇野　２０１９年に起きた日韓問題というのは長期的に考えた時に、少なくとも日本と韓国どっちも得しないんですよね。それを、日韓それぞれの時の政権が、自分たちの支持勢力に対して、パフォーマンスとして強硬的な姿勢をとったことは、間違いない事実としてある。

そして、そのような政権のナショナリスティックな振る舞いを支持する人々には、韓国はナショナリズムを先導することによって強固な国内統合を図っているではないか、日本が同じことをやって何が悪いんだ？　と居直る言説がすごく支配的だった。こうした言説に対して、それは間違っているとか、それは国益にそぐわないと主張することはすごく簡単なことだけれど、そういった言葉で説得するのは難しいと思っています。彼らが一番守りたいものは、日本という大きい仕事に同一化することの気持ち良さだったり、勇ましい言説に触れることの高揚感、「露悪な本音主義を受け入れて、勇ましいこととか、マッチョなことを言っている自分」なんだと思うんです。

そのように、気持ち良さとか安心感とか、そういった次元のことを求めている人たちに、それは正しくないとか、それは合理的ではないとか、そういった言葉で説得するのは難しい。気持ち良さには、気持ち良さで対抗するしかないんだと。まさに堀さんが平壌で見てきたように、やっぱり戦争は良くないよみたいなことを、北朝鮮の学生さんがポロッともらすシーンや、いつ使えるかわからない日本語を彼らが愚直に学び続けていることがわかるシーンで訴えることが必要だと思う。たぶんですけど、映画に登場するあの北朝鮮の大学生の彼は、スパイの為に日本語を使おうなんて考えてなくて、日本の文化とかに対して興味を持っていて、いつか日本に関わりたいと思ってくれているのは、フィルムから透けて見えるんです。あれを見ると、いつかこの子たちとポジティブに交流できる日が、もっとおおっぴらに来ると良いなということを、みんなが自然と思えるじゃないですか。だから、ネガティブな欲望にポジティブな欲望で対抗するということも、すごく必要なことだなと思います。

堀　学生同士の再会のシーンがありますが、あれはたまたま2年連続で取材したから見られたもので、関わり続けることの大切さを見ました。

宇野　人間にとってその場で嘘をつくことはとても低コストだけど、長期的な嘘をつき続けることってすごく難しいじゃないですか。ずっと、同じものに関わり続けるからこそ見えてくるものって、今みんなが忘れかけているからこそ貴重だと思うんです。

第4章 メディアと分断

天井のない監獄

発信の場を求める人たちは世界にいる。孤立を強いられた人々の声に耳を傾けたかった。２０１７年４月。私は中東へ飛んだ。

分断の現場、パレスチナ自治区、ガザ。軍事強国イスラエルとの緊張が続く。

ガザは「天井のない監獄」と呼ばれている。長さ50㎞、幅５～８㎞の狭く細長いガザの周囲は、すべて壁やフェンスによって囲われ、イスラエルによって封鎖されている。人や物の出入りは厳しく制限されており、イスラエルとガザの間に設けられた緩衝地帯に無断で立ち入ると射殺される。ここに生きる人々は国連などからの支援物資が命綱だ。

人口は２０１７年時点で約１９４万人。世界で最も人口密度が高い場所の一つ。その面積は日本の種子島と同じくらいだ。人口の45％は14歳以下の子どもで、その８割近くが栄養失調に悩んでいると言われている。

ガザは、中東戦争以来、対立を続けてきたイスラエルとＰＬＯ・パレスチナ解放機構の間で結ばれた１９９３年の「オスロ合意」に基づいて、パレスチナ自治区になった。ところがその後もイスラエル軍の実質的な占領が続き、ガザ市民との衝突が続いた。２００５年にイスラエル軍は撤退する代わりに、周囲を封鎖。人や物の出入りを大きく制限した。
一方で、パレスチナ人同士の政治闘争もあった。２００６年のパレスチナ自治政府の選挙では、イスラエルとの対話路線を重視した政党「ファタハ」が後退し、イスラム主義を掲げる政治グループで、イスラエルに対して強硬姿勢を主張してきた「ハマース」が多数派になった。ハマースはファタハをガザから追放し、実効支配するようになった。イスラエルはそれに伴い、ガザの封鎖を強化。反発したハマースはロケット弾をイスラエル側に打ち込むなど、暴力の応酬が始まった。２００８年、２００９年、２０１２年、そして２０１４年とイスラエル軍はガザに大規模な軍事侵攻を行った。空からは無人攻撃機、ドローンを使った激しい空爆を続け、陸からは戦車隊がガザに侵入。破壊行為の限りを尽くした。ガザの市民は自らの窮状をＳＮＳを使って発信し、国際社会からの支援を求めた。

当時、リアルタイムでウォッチしていたＳＮＳのアカウントがあった。@Farah_Gazanと名乗る10代の少女は、ツイッターを使って動画で空爆が激しくなる様子を世界に発信していた。「今朝、私の通っていた学校が破壊されてしまったわ。どこで勉強すればいいのでしょう。大好きな学校だったのに」「また夜になった。空からは不気味なドローンの音が聞こえる。携帯電話の充電がなくなってきた。怖いよ」。当時、日本から見守るしかなかったのがもどかしかった。「#SAVE_GAZA（ガザを救え）」というハッシュタグに多くの人が励ましのメッセージを寄せ連帯の意思を示した。

２０１４年7月29日、空爆が続く夜、彼女はこうメッセージした。「これが私が住むエリア。涙が止まらない。私はきっと今夜死ぬんだわ」。添付されていた写真には、空から地上に向けていくつもの閃光が筋のように降り注いでいた。そして、少女の発信が途絶えるとガザへの祈りはさらに広がった。ニューヨークタイムズやハフィントンポストをはじめ世界中のメディアがこのツイートを取り上げた。

軍事侵攻は51日間続き、２２５１人が死亡し、負傷者は1万１０００人を超えた。死者のうち7割が女性や子どもを含む民間人だと言われている。1万８０００戸の家屋が攻撃によって全壊や半壊の被害を被り、市民の日常は瓦礫の中からの復興を迫られた。

中東のメディアが報じた映像も印象に残っている。空爆を受け自宅を破壊された男性が血だらけの子どもを抱えながら走って逃げてきた。カメラを見つけるなり大きな声でこう叫んだ。「アッラーはどこにいるんだ！　アラブ諸国は俺たちが見えているのか！」。両手で頭を抱え込み、男性は泣いていた。攻撃が続く中、ガザに対して、アラブ諸国からの軍事的救援はなかった。政治闘争に巻き込まれ家族を失ったガザの一般市民がそこにいることを知った。

こうした分断の地で、20年近く傷んだ人々の生活を手当しようと支援活動を続ける日本のNGOがある。JVC・日本国際ボランティアセンターだ。アフガニスタン、イラク、スーダンなど紛争や内戦が続く国を中心に、世界11の地域で様々な人道支援を続けてきた。

パレスチナには当時、並木麻衣さんが駐在していた。私は彼女を訪ね、ガザでの活動に密着した。

並木さんは、高校生の時に目の当たりにした、2001年9月11日のアメリカ同時多発テロをきっかけにアラビア語を学ぶために大学に進学。パレスチナへの留学経験もある。卒業後、一般企業に勤めた後、アフリカや中東での支援活動に身を捧げてきた。「日本に伝わってくるニューヨークでのテロの報道は欧米目線のものばかり。アラブ人はどう考えているのか、私はそれが知りたくなったのです」と当時を振り返った。

分断の手当て

イスラエルが管理するエレツ検問所はまるで空港のターミナルのように巨大だった。中に入るとイスラエル国防軍の兵士が銃を構え見回りをしている。入域ゲートでは職員の細かな聞き取りがある。国籍、職業、入域の目的など、表情を変えずに淡々と事実関係の確認を進める。一眼レフのカメラの持ち込みは難しい。レンズが兵器に転用される恐れがあると聞いた。ハマースがロケット弾を誘導する装置に使用する可能性がある、というのが理由だという。厳しい手荷物検査を経て、ガザに入域した。鉄の扉をくぐって緩衝地帯を抜けるとファタハの検問所。そして、ハマースの検問所がある。それぞれの検問所で、事前に申請して入手した許可証を提出し、ガザへの入域を果たした。許可証がない人物は中に入ることはできない。逆もしかり。ガザの市民が域外に出ることは厳しく制限されており、壁の外にいる家族がたとえ死にかけていたとしても許可が下りないとも聞いた。

イスラエル側の理由で突然ゲートが閉じられることもある。一旦入域が禁じられると、いつ再び開放されるのか見通しが立たないこともあり不安を感じていたが、ＪＶＣの並木さんのアテンドがあり、無事に中に入ることができた。

被災した子どもたちは元気だが、壁の外に出ることはほぼ不可能な状態だ。過酷な戦争体験を語る子どもたちを撮影した

目の前には、塗装がはげ、埃にまみれ錆びついたセダンタイプの古い車が止まっていた。並木さんが運転席の男性に気がつき、近寄っていくと中から中年のパレスチナ人の男性が車を降りて出迎えてくれた。ドライバーを生業にするリヤードさんだ。２０１４年のガザ戦争で家族３人を失っている。親戚の女性は脊髄をやられ歩けなくなった。しかし、リヤードさんは空爆が続く中、生活のためにドライバーの仕事を続けたという。「戦争があっても、日常が続く。金を稼がないと生活ができない。怖かったよ。どこも火の海だった。おかげで家族の死に立ち会えな

かったんだ。息子が遺体を拾って埋葬した。ひどい有様だったよ。子どもたちの学校も、そして赤新月の病院さえも攻撃されたんだ」。リヤードさんがドライバーとして月に稼ぐ収入は、1300ドル。それで9人の家族を養っているという。

目的地に向かう途中、リヤードさんは戦争の爪痕が残る町並みを見ながら当時の状況を事細かく教えてくれた。上空にはイスラエルが飛ばした無人の偵察機が常に旋回していた。

並木さんがガザでの支援に関わるようになって3年半が経つ。並木さんは車窓を眺めながら活動の意義について話してくれた。

「全てが足りない。ゼロ以下です。ガザの人たちは国連や外部の団体から支援を受け続けています。しかし、人に頼まないと生きていけないのは辛いこと。支援に頼っている自分が情けないと心の内を吐露する人もいます。それを聞いていると、ただ与える支援ではなく、限られた中でも、何か自分たちで立ち上がれる方法を目指す支援が必要だと思ってきたんですね。彼ら自身にイニシアティブを持ってもらえる、尊厳を取り戻すプロセスを作り出せるのか、そうした考えに重きをおいて支援を続けています」

しばらくして、車が停車した。目的地の一つ、ガザ地区ジャバリヤ市ビルナージャについた。貧困街だ。戦争や、その後の電力不足などで仕事を失ったり、安定した収入が見込めない世帯が多く住む地域だ。貧困であっても、難民には認定されておらず、国連からの支援物資も受けられない人たちがここで暮らしている。

偏った食事のせいで、栄養失調や貧血などを抱える子どもたちが多く、骨に栄養が回らず、足が曲がって成長してしまう病気にかかる子どもも少なくない。

ＪＶＣではこうした状況を改善するため、地元のＮＰＯと協力して地区に住む母親たちに栄養に関する知識や食事改善の技術を教え、トレーニングする支援活動を２０１１年から続けてきた。４年間のプログラムが終わり、これからは母親たちが自立した活動を行い、地域でまだトレーニングを受けていない母親たちに技術を伝える段階に来ているという。

一方で、住民の中には、支援物資をあてにした生活に慣れきってしまっている人もいて、このままの状況は放置しておくのは問題だという声もある。並木さんは自立を促す支援活動を続けてきた。これまでに30人が栄養の知識を身につけ、各地域でのリーダー的存在として、子どもたちの栄養改善だけではなく、コミュニティを繋ぎとめる役割を果たしてきた。「仕事を見つけるきっかけになった」「自分の役割を見つけた」「子どもたちにとって大切な仕事だ」など、女性たちはガザでの希望を紡ぎ出している。

この日、夕景を眺めながら私たちを宿まで送り届けてくれるリヤードさんといろいろな話をした。なぜ、対立が生まれ、分断されたガザがこうして放置されているのか。隔絶

JVC・日本国際ボランティアセンターの並木さん。現地の母親たちに栄養に関する知識や食事改善の技術を教える

された壁の内側で人々がもがいていた。リヤードさんは語気を強めてこう言った。

「我々には正当な権利がある。ここは我々の土地だから。俺たちは問題を望んでいないよ。ユダヤ教徒とイスラム教徒は隣り合って一緒に生きてきたんだから。キリスト教徒だってそうさ、皆一緒だった。でも大国やら国連やら全世界がパレスチナ問題に介入してきた。それで問題が複雑になっている。この問題は60年以上も続いているんだ。2年や3年に1回戦争が起こる。そして故郷がめちゃくちゃになる。多くの人々が亡くなる。何千人が傷つく。こんなことが起こっていいわけがないだろう」

リヤードさんの話を聞いて、２０１２年にアメリカ・ロサンゼルスで取材をした光景を思い出した。カリフォルニア大学に留学中のことだった。夏だったと思う。何気なくフェイスブックを眺めていたら、近くのホテルの前でデモがあるというイベント紹介ページが目に飛び込んできた。夜7時から、市内の高級ホテルの前でガザ市民を守るための抗議行動があるので参加してほしいと呼びかける内容だった。当時は、中東関連の取材をしたことがなく興味が湧いた。ハンディのビデオカメラを持って現場を訪ねた。

サンタモニカから車を走らせ、ビバリーヒルズを抜けた高台にホテルがあった。噴水がライトアップされ車寄せに高級車が次々と入っていくのが見えた。路上パーキングに車を止めて、走ってホテルに向かうと、人々の叫び声が聞こえた。

「パレスチナに自由を！」「子どもたちを殺すな！」

集まっていたのは20人ほど。パレスチナの旗を掲げ、「ガザを守れ」「武器を売るな」などと書かれたプラカードを持ってホテルに入っていく車を見つけては抗議の叫びを上げていた。

この日は、イスラエル国防軍の資金集めのパーティがホテルで開かれ、アメリカの政財界から人々が集まっていた。「恥を知れ！　恥を知れ！　恥を知れ！　恥を知れ！」とシュプレヒコールは次第に高まっていった。

声を上げていた男性に話しかけた。なぜここに来たのか理由を尋ねると、イラク出身の男性だった。「私がこの抗議活動に参加したのはパレスチナは自由であるべきだと思うからだ。そして今すぐ子どもたちを殺すのをやめてほしい。アメリカはイスラエルへの援助をやめるべきだ。我々は一生懸命働いて税金を納めている。その税金をイスラエルへの援助や子どもを殺すことに使ってほしくないんだ」。

隣には白人の女性がいた。大学生の彼女は、SNSを通じてガザで子どもたちが殺されているのを知ったという。

「彼らがこの事態を財政的に支えているのを知っているでしょう。毎年イスラエルの軍隊に32億ドルよ。それを第一歩にしようとしてる。私たちはこんな憎しみ合いは支持しない。子どもたちを殺すのをやめてほしい」

実はこの年、オバマ大統領はイスラエルへの軍事支援の強化を表明している。10年間で300億ドルを超える資金援助を可能にする法案を可決した。「核なき世界」を提唱してノーベル平和賞をもらった人物は、中東での支配力を強めるため、軍事援助を行なっていた。ガザ戦争は、この2年後に起きた。アメリカからの多額の援助は今も続く。トランプ政権になりイスラエルへの支援はより露骨になった。ハマースは反発を強めている。

リヤードさんとの会話はその後も続いた。渋滞が続く街中。車の助手席でカメラを構えインタビューの撮影をしていたその時、異変を感じた。「何をしている」「止まれ」と車の外から何人かに声をかけられた。バイクにまたがった男たちが数人、車内を覗き込んでいた。リヤードさんの表情が曇った。

「ハマースの私服警官たちだ」。一気に緊張が高まった。静かにカメラを下ろして股の間に挟んで隠した。「撮影をしていただろ！」と指をさされた。どう答えようか迷い逡巡すると、後部座席にいた並木さんの同僚が自分が持っていたコンパクトデジカメを警察官に渡そうとした。「それじゃない、お前だ」と、警察官は私の股の間に挟んでいるカメラを睨んでいた。観念してカメラを持ち上げ、警察官に見せると、再生ボタンを押して録画した映像の確認を始めた。２、３分くらいだっただろうか。「ダメだ」と言って警察官の一人がＳＤカードをカメラから抜き取り、検問所に持っていってしまった。スパイ行為とみなされたのか、車中での尋問が始まった。パスポートや入域の許可証など必要なものを警察官に渡した。私のパスポートにはアメリカ大使館で取得したジャーナリストビザが貼ってある。厄介なことになるかもしれないと不安がよぎった。日本の外務省はガザの危険レベルを3に設定しており、渡航中止勧告を出している地域だ。ハマースはイスラム過激派組織であり、テロ行為を働いているというイスラエル政府の認識を踏襲している。拘束されると非難の対象になることは間違いなかった。

そうした中、ドライバーのリヤードさんは自らの身分証明書を警察官たちに見せながら、ハマースに対して必死の抗議をしてくれた。「彼は日本人ジャーナリストだ！」「ガザの現実を世界に発信するために来てくれたんだ！」「取材データを返してやってくれ！」と。身振り手振りでリヤードさんは訴えていた。警察官は時折頷きながら、淡々とパスポートをめくりながら全員の顔写真を照合。許可証類にも目を通していた。

その時だった。一人の警察官が近くの売店でジュースを買ってきた。好きなものを飲んでほしいと、一人ひとりに手渡しで配ってくれた。何を意図しているのだろうかと混乱しながらも「シュクラン（ありがとう）」と伝えると警察官は何度も頷いた。そして、フロントガラス越しに検問所の方からもう一人の若い警察官が小走りで戻って来るのが見えた。助手席の窓を開けると、彼の手には没収されたＳＤカードが握られていた。片言の英語で「ソーリー」と言って、私にそのＳＤカードを返してくれた。今度は警察官たちがアラビア語でリヤードさんにまくし立てるように何かを言っていた。並木さんがそれを通訳してくれた。「伝えてほしい、と言っています。日本人なら伝えられるはずだ。ガザはイスラエルの攻撃で、一方的にやられている。破壊されてばかりだ。日本に戻ったらこの状況を伝えてほしいんだ。知らせてほしい」。

私たちは、1時間あまりの尋問後、こうして解放された。手元に戻ってきたSDカードの意味を考えた。

一帯一路

権力の変容に気がつくのは容易ではない。権力は変質を悟られぬよう、大衆の欲望を隠れ蓑に肥大を続ける。ジャーナリズムなき国家の暴走は悲劇を生み出す。

2018年12月末。私はカンボジアを訪ねた。今、民主主義の灯火が消えようとしている国だからだ。

首都プノンペン。空港から中心部に向かう途中、車窓からは道路の敷設や高層ビルの建設があちらこちらで進んでいるのが目についた。施工は中国企業なのだろうか。どの開発の現場を訪ねてみても、看板に書かれた社名は漢字ばかりだ。

都市開発工事の作業をするカンボジアの職人たち。建設説明の看板には漢字が並ぶ

「ここは湖だったんですよ」

運転手のカンボジア人の男性が窓を開けてくれた。どこを見ても水の気配は見当たらなかった。砂埃さえ舞っている。かつてここはボンコック湖と呼ばれる大きな湖があった。水面に沈む夕日の美しさが地域の自慢だったと聞いた。ところが、この1、2年で完全な埋め立てが進み、湖は跡形もなくなっていた。埋め立てた土地は区画整理され、敷地ごとに囲いで覆われていた。隙間から中を覗くと基礎工事が進められていた。開発の青写真が壁面に描かれていた。説明書きはやはり漢字だ。住宅、ショッピングモール、学校、病

院。街の機能が全て集約されたエリアになるのだという。一体、誰のための街になるのか。とてもカンボジアに来たとは思えない光景が広がっていた。

カンボジアでは、1970年から内戦が始まり、ポル・ポト政権下では大量の虐殺が行われた。3年8ヶ月あまりで、少なくとも当時の国民の4分の1にあたる、およそ170万人が殺害されたと言われている。

ポルポト政権崩壊後は、1993年にカンボジア国民議会選挙で民主政権が誕生するなど、民主化を進める動きが丁寧に積み重ねられてきた。日本をはじめ欧米が選挙の支援を行うなど様々な関わりを深めてきた。しかし今、これまでの努力は何だったのかと思うような事態がカンボジアで起きている。民主化以来、政権を担ってきたフン・セン首相による強権政治、独裁化が進んでいる。

フン・セン首相は「もう欧米の支援はいらない。我々には中国がいる」と宣言し、現代のシルクロードと呼ばれる巨大な経済圏、一帯一路構想を打ち出す中国からの投資を歓迎する姿勢を鮮明にした。3年前、2017年のことだ。

いつの間にこの政権は変容してしまったのか。当時、現場の実情を日本に伝えるマスメディアは少なかった。

そうした中、カンボジア国内では非人道的な行いが相次いで起きていた。フン政権は国民からの支持で躍進した最大野党の救国党を国家反逆罪の疑いで裁判所を使って解体。土地の強制収奪などに反対し抗議行動を続けてきた民主運動家を逮捕、投獄。政権に批判的な欧米系メディアに対して、突然多額の税金請求を突きつけ、廃刊に追い込むなど、非民主的な横暴をやりたい放題だった。

私はこうしたカンボジア政府の変容について、話を聞くまで気がつくことができなかった。民主主義の消滅がすぐ目の前まで迫っているにもかかわらず、私は知らなかった。

開発が進む地域を歩いて散策すると、昔ながらの古い住宅が建ち並ぶ一角があった。幼い子どもたちが10人ほど走り回って路上で遊んでいた。子どもたちの表情があまりにも明るく、楽しそうにしていたのでカメラで撮影を始めた。その様子に気がついた大人たちもにこやかな様子で家から出てその様子を見守っていた。

「なぜここだけ開発がされていないのか?」、そう大人たちに理由を尋ねると「抵抗しているからです」と返って来た。「政府か? それとも中国の企業にか?」と聞くと「両方だ」という答えが聞こえた。率直にどのような目線で、開発を受け入れているのかインタビューを申し込むと、顔の撮影はNG、声も極力変えてほしいと注文がついた。

「僕の聞く限りで大部分の人は、中国の進出を喜んでいない。しかし、カンボジア政府は歓迎しています。中国企業は投資をしてくれると。彼らはカンボジアの土地を買ってビルを建てる。フン・セン首相はいつも、カンボジア人のことを考えていると言う。『中国は開発にやって来ているだけだ。開発が終わればいなくなる』と。でも誰もそれを信じてはいない。カンボジアでは､政府や中国を批判する者に対して取り締まりが強化されている」

カメラの前で顔を出して語ることはリスクになるのだ。中国からの投資や支援を背景に現政権の強権化が進んでいる。

「カンボジア人の収入には、何一つなっていません。政府はカンボジア人のためだと言い張っていますが、結局政府の税収にしか繋がっていません」

そもそも、こうしたカンボジアの危機的な状況を私に教えてくれたのは、15年以上カンボジアに住み込み、市民運動の最前線に立って撮影を続けてきた日本人カメラマン、高橋智史さんだ。

高橋さんは学生時代に人道支援の現場に関わったのを機に､カンボジアへの関心を深め、日本大学芸術学部写真学科を卒業後、２００３年から、カンボジアで暮らす人々の日常に目を向け写真を撮り続けてきた。ボンコック湖周辺の土地開発の現場も、高橋さんが撮影を続けてきた地域の一つだ。ここは土地を強制収奪された市民たちが連帯して声を上げてきた場所でもある。

　高橋さんの写真はそうした市民の闘いの歴史を記録していた。盾と警棒を握った機動隊員たちに囲まれた少女が、跪き静かに手を合わせ祈りを捧げる様子、逮捕された女性リーダーが連行される途中、涙を流しながら訴えを続ける様子。至近距離で撮影された1枚1枚に、寄り添いたいと相手を想う高橋さんの気持ちがにじみ出ていた。

「私がここ最近で取材してきたのは、土地の強制収奪の被害に遭う人たちの姿です。カンボジアでは2001年に土地法が改定されました。ポル・ポト政権下での内戦よって崩壊した法律が立て直され、動き出したのが2000年代。それによって人々の土地は、自らの土地として証明されるようになったにもかかわらず、プノンペンの土地開発によって有益だと思われる場所に住んでいる人々の土地が、開発業者と政権の結びつく開発事業によって、到底受け入れられない補償案を提示され、それを拒むと暴力を用いて強制的に家々を奪われていく状況をここ5、6年見てきました。その開発に関与している国は、中国やベトナム、そしてカンボジア国内の政権と繋がりのある開発企業です。カンボジアのプノンペンは高層ビルが建ち並び、ポル・ポト政権の内戦で荒廃した大地から復興を果たしているように見えますが、それは人々の涙や血が浸透してしまった上での開発のような気がして。私は夜景を見ると、彼らの願いや闘っている姿を見てきただけに、心が痛くなり複雑な気持ちになってしまいます」

さらに、高橋さんは民主主義の血流ともいえる報道の自由、国民の知る権利が制約を受ける現状に憤りを抑えることができなかった。

「2017年9月4日に、1993年のカンボジア国民議会選挙以降、24年間カンボジアのジャーナリズムを導き、カンボジア人の新たなジャーナリストを育てる役目を負っていた最も有名な英字新聞『Cambodia Daily』が、残念ながら630万ドル（約6億9000万円）に及ぶ未払い税の支払いを突如政権に突きつけられ、廃刊に追い込まれるという事態に陥りました。『Cambodia Daily』は常に政権による人権弾圧の現場など、政権にとって不都合な現場の取材を続け、それを発表してきました。よって、政権によって常に脅迫や批判の対象になってきたのですが、2018年のカンボジアでの総選挙を迎えるにあたり、弾圧を強める政権によってついに廃刊に追い込まれてしまったのです。さらに、政権と対峙し民主化の道のりを切り開こうと頑張っていた最大野党の『カンボジア救国党』も、その党首が突如逮捕されてしまうという事態に陥ってしまいました。それだけではありません。『Cambodia Daily』以外のメディアへも弾圧が広がっています。「Radio Free Asia」、「Voice of America」と呼ばれるアメリカ資本の政治色の強いラジオ局があるのですが、「Radio Free Asia」はプノンペン支局を閉鎖に追い込まれ、さらに彼らの報道を受けて流していた独立系のラジオ局15局以上が閉鎖に追い込まれるという事態に陥っています」

高橋さん自身もいつ拘束されるかわからない、そんな危機感が常につきまとう。

「私が取材現場で常に顔をあわせるベテランのビデオジャーナリストがいたのですが、その方も「Radio Free Asia」で働いていました。残念ながら昨日入ってきた情報によると、逮捕されてしまったということです。はっきりしないのですが、スパイ容疑がかけられ、このまま判決が下されると7年から10年くらいは拘禁されるのではないかと聞かされました。カンボジアの民主化の灯火は本当に完全に失われつつある、その危機に立たされていると思います」

報道の空白域は権力の横暴を招く。実際、高橋さんが市民の抗議運動を撮影していると警察官たちに囲まれカメラを没収されそうになったことがある。その時、高橋さんと警察官との間に市民たちが割って入り、人間の壁を作ってくれた。「早く行くんだ」と言って、体を張って高橋さんを守ってくれたことがある。高橋さんは涙を堪えながらその現場を走って離れた。あの時、もし拘束されていたら、カンボジアの今を私も知ることができなかったかもしれない。高橋さんは時折声を詰まらせながら、「私は必ずこの想いを多くの人に届けます」と奥歯を嚙みしめるように口を真一文字に結んで何度も頷いた。

捨てられた傘

メディアで働く一人として、酷く自戒させられる現場を目撃することがある。

福島県浪江町、請戸小学校。沿岸部から300mほど離れた場所にある学校の校舎は津波の被害をそのままに、今も同じ現場に建っている。東京電力福島第一原発の排気筒が見える距離にあり、原発事故後、地域への立ち入りを制限された場所だ。

あの日、津波が迫る中、校舎にいた82人の児童は適切な避難で全員が助かった。奇跡の小学校と言われるが、日頃の繋がりが命を救った。高学年の児童は怖がる低学年の子どもたちを背負って逃げた。声を掛け合いながら子どもたちは高台を目指した。浪江町はこの校舎を震災遺構として残すことを決めた。私も記憶が薄れかけた時に、度々ここを訪れるようにしている。

震災から4年が経った、2015年冬。当時、ラジオ福島のベテランアナウンサーだった大和田新さんとここを訪ねた。福島県内で取材をする際に、大和田さんは度々現場を案内してくれていた。校舎の中を進み、中庭を目指す大和田さんの足音はいつもに比べて荒々しかった。津波で出入り口が破壊されていたため、廊下が直接中庭に通じていた。階段を

2段くらい降りたあたりだった。大和田さんが指をさして下を向いた。

「ビニール傘が4本捨てられていますよね。これ、いつからあるかというと、去年の3月11日からここにあるんです」

少しくたびれたビニール傘が無造作に立てかけられていた。

「私はここに、去年の3月11日に取材に来たんですけど、請戸小学校に入れなかったんですよ。このあたり全部テントが張られていて、東京のテレビ局がこの中から中継するって言うんで、入れなかったんですよ。しょうがなくて別のところをずっと回っていたんですよ。その3日後にここに来たら、これが置いてあったんです」

どういうことですか？　という表情で大和田さんを見返すと、語気がさらに強まった。

「捨ててったんですよ。悲しいじゃないですか。でね、そこにそのテレビ局がテントを張って、我々は中には入れないわけですよ。でね、タバコ吸ってね、それをね、捨てるんですよ。地面にこうやってね。だから、そこに遺体があったかもしれないじゃないですか。で、地元の請戸の人たちが取材車両を見てね、おっしゃるんですよね。『こんな時だけ』って。去年の3月11日、震災からちょうど3年ですよね。もうね、この請戸はね、取材ラッシュでしたから。すごかったですよ。捨ててったんです。まあこれはね、ずっと残しといていいんじゃないですか。我々メディアの反省材料に」

なぜ、伝えるのか。誰のために、伝えるのか。そして何を伝えるのか。マスメディアからの発信は、自らの加害性に無自覚であることが少なくない。現場は見世物ではない。そして、消費物でもない。

ジャーナリストの謝罪

データのコピーが終わり、手元のノートパソコンで早速その映像を確認した。破壊された乾いた色の建物から白煙が上がっていた。間も無くして、砲撃の音が響いた。

「シリアの西部の街・ラスタンでは、政府軍による迫撃砲と、戦車砲による攻撃が行われています」

２０１２年、ジャーナリスト安田純平さんが撮影した、シリア内戦の現場映像だ。

中東取材の経験が豊富な彼は、シリアで内戦が始まった直後、現場に入って取材を重ねていた。政府軍と反政府派の武装勢力との間で激しい戦闘が行われていた。戦車の砲台がこちらを向く映像もあった。安田さんがいる現場の近くにミサイルが着弾し、子どもを抱きかかえて逃げ惑う人たちもいた。病院が政府軍に占拠されていたため、市民はビルの地下を応急的な病院として救助活動を続けていた。厳しい顔で薄暗い手術室から安田さんがリポートを続けた。

「シリア西部ラスタン市内の病院です。シリア政府軍によるヘリからの攻撃によって、死傷者が出ています」

瓦礫の底から掘り起こされた少年がそこで絶命していた。

２０１５年６月、安田さんはシリアの武装勢力によって拘束され、以来２０１８年10月に解放されるまで、３年以上、自由を奪われた。

ようやく解放され帰国した安田さんを待っていたのは、激しいバッシングとデマだった。帰国後に行われた日本記者クラブでの記者会見の冒頭で安田さんはこう挨拶した。

「私の解放に向けてご尽力いただいた皆様、ご心配いただいた皆様に、お詫び……しますと共に、深く感謝申し上げたいと思います。本当にありがとうございました」

マスコミのカメラが安田さんにフラッシュを浴びせた。その様子を私は会見場で見守った。悔しい思いもあった。安田さんはなぜ、記者クラブの会見場で謝罪をさせられているのか。現場の事実を摑み取ってくる仲間が無事に戻ってきてくれたというのに。フリーランスのジャーナリストが一人「お帰りなさい」と言って拍手をした時に、私の隣に座っていたベテランの記者は、その様子を鼻で笑った。

シリア内戦では2011年以降、36万人を超える死者が出ている。国連難民高等弁務官事務所(UNHCR)によると630万人が難民となって国外に避難をせざるを得なくなった。戦闘で家を追われた国内避難民を合わせると1300万人以上が人道支援を必要としている深刻な状況が続いてきた。

2010年暮れから2011年はじめに中東・北アフリカで広がった「アラブの春」から2020年は10年目が始まる年だ。

シリアに飛び火した民主化運動は周辺国の武装勢力を招きこみ、ISの台頭などで混迷を極める結果となった。ロシアやイランの支援を受けるアサド大統領側の政府軍はここ数年で失地を取り戻し、この夏、反政府勢力最後の拠点と言われるシリア北西部のイドリブ県への総攻撃に踏みきるという観測から国際社会がこの地に注目をした。

安田さんが拘束された現場がこのイドリブ県だ。「アラブの春」直前、2009年の時点で195万人の人口を擁していた地域。内戦が激化し、2015年以降は反政府武装勢力のヌスラ戦線が占拠してきた。2018年9月、内戦終結に向けシリア政府軍による大規模な攻撃が行われるという観測から「最大の人道危機」が懸念され、国連などが攻撃を行わないよう停戦を呼びかけていた。9月、シリア反体制派を支援するトルコは、イドリブ県周囲に非武装地帯を設置することでロシアと合意。さらに10月27日に、トルコ、ロシア、フランス、ドイツの4ヶ国首脳がイスタンブールで首脳会談を行い「永続的な停戦の重要性」を声明文として発表した。人道危機は一旦は回避されたように見えるが、合意後の衝突も続き予断を許さない状況が続いている。

政府軍と反政府武装勢力の戦闘に注目が集まるイドリブ県では、あまり報道されていない市民の平和的民主化運動が続いていることも共有しておきたい事実だ。

イドリブの情報は、友人のシリア人ジャーナリストのエルカシュ・ナジーブさんを通じて現地の市民記者とやりとりをして入手した。

イドリブ県では民主化運動が今も続いている。SNSが貴重な発信の場だ。印象的な映像もあった。女性活動家が市民を率いて集会を開き「私たちは絶対に諦めない。私たちは絶対シリアの大統領を受け入れない。絶対に抵抗する。最後まで抵抗する」と世界に訴えかけていた。

ナジーブさんによると、イドリブ県では「女性市民活動センター」が市民記者の育成を続け、英語や日本語など各国の言語でプラカードなどを作製してインターネットを使って各々が発信する取り組みが続けられているという。ナジーブさんは、武装勢力の状況だけでは偏ったイメージでイドリブのことが伝わってしまうと語り、こうした平和的な市民運動に対して攻撃が行われようとしている実情も伝えるべきだと注文をつけた。
こうした実情を踏まえ、イドリブ県から戻った安田純平さんに会見で各社が何を聞くのか注目した。

日本記者クラブで開かれた安田さんの会見にはフリーランスを含めた国内外の取材者たちが参加し立ち見が出る満席となった。テレビカメラは50台を超えた。安田さんの会見は謝罪と謝意から始まり、前半約1時間50分を使って、渡航の目的や拘束の状況、解放までの経緯を詳細に説明。後半の約50分が代表質問と挙手による各社からの質問にあてられた。質問できたのは「自己責任」について安田さんの見解を聞いた司会を務めたテレビ朝日の代表質問を除くと私を含め12人。記者会見の全文書き起こしを公開している「THE PAGE」を参照しあらためて確認すると、順に、テレビ朝日『モーニングショー』、朝日新聞、東京新聞、毎日新聞、日本テレビ、共同通信、The Japan Times、NOBORDER NEWS TOKYO、フジテレビ、筆者、朝日新聞、BBCだった。
各新聞社と海外メディアは「ガイドを信用した根拠」や「取材準備の過程」「相手方組織の人数や年代、リーダーの容姿」「消息が途絶えた他のジャーナリストに関する情報」

など、事実関係を確認する質問に終始していた。その結果、武装勢力には外国人と見られる人物や米軍の元通訳、10代の少年などが含まれていることがわかった。コーディネーターの選定や通信手段の確保など、今後の取材ガイドラインを再検討する際の課題を洗い出すための生々しい知見も共有された。どれも安田さんだから語ることができる貴重な一次情報だ。

一方、テレビ各社の質問は「今後も紛争地に赴いて取材を続けるつもりか？」「動きも取れない生活に絶望するような瞬間はあったか？」「解放に向けた妻の活動は今後の活動に対する気持ちに変化を与えたか？」など、全て安田さんの「気持ち」を尋ねるものばかりだった。

新聞とテレビでなぜこれだけ明確に質問の色が異なるのか？　根拠を見出すとすればテレビニュースで流すためには、編集しやすい、短く使いやすい返答がほしくなるからだろう。私自身、テレビ局の職員として会見に臨んだ経験からそう感じる部分も大きい。いわゆる「オンを取りに行く」質問だった。テレビニュースでは、シリア情勢に関する前提の情報やより専門的な事実を伝えるだけの尺が足りない。視聴者に対してわかりやすい話題を提供しようとするがあまり、専門的な用語や情報をそぎ落として伝える傾向も強い。その結果残るのは叙情的なアプローチだ。感情に訴える報道は人々の心を煽動するばかりで、事実に即した丁寧な議論ではなく印象論が先行する。結果、誤解や偏見が生まれるのを助長しかねない。テレビニュースの欠陥をジワリと感じさせる各社の質疑応答だった。

どうしても質問をしたく、必死に手を挙げると司会者はアイコンタクトを送って、了解したと頷いて、その後指名してくれた。

私は安田さんにイドリブ県の状況について尋ねた。「民衆の民主化運動について見聞きすることはあったか？」。

拘束され取材活動が全くできなかったと帰国の機内の中でも語っていた安田さんではあったが、会見での発言を聞いていると制約がある中でも情報を聞き出そう、分析しようともがきながら目と耳をすませる姿に感銘を受けたからでもある。どんな状況であれ安田さんはジャーナリストとしての使命を果たそうとしていた。質問に対し、安田さんは「民主化運動について話を聞くのは難しい」とした上で、30秒程沈黙した後にこう語り出した。

「捕まっている囚人の中に子どもがいまして、この子を尋問している中身を聞いていたら、どうやら政府側のスパイとして入った。そういうことをやっているんですよね。お互いにもやっているんだと思います。それから障害者なんかも使ったりするんですよね。ふらふらっと反対側の地域に入らせて、何か見て帰ってこさせるみたいなことをやったり、やるんですけども。戦争ですからお互いにそういったスパイを潜り込ませるというのは当然

シリア人ジャーナリストのエルカシュ・ナジーブさんと安田さん。遠い国の人の死に無関心であることは、分断を生む原因の一つなのだろうか

やることなんですけど、そういった子どもであったりを使ってやっている、そういうものに対して反発していって、だんだんと反政府側に入ってくる人間が増えていった背景もある」

安田さんが見聞きした事実は、この内戦の不条理さを痛感させる一級の情報だった。イドリブを知る貴重な一次情報だった。会見終了後に安田さんは「諦めたら試合終了」という言葉をノートに書き残した。無事に戻ってきてくれた安田さんに、本当に感謝している。

後日、安田さんに声をかけ、あら

ためて対面してシリアの現状を聞いた。ナジーブさんもそこに同席した。シリア北部で今何が起きているのか、地図を指差しながら安田さんの解説が始まった。

「私を人質にするような、この社会の環境があるわけですよね。だから、施設の中にはシリア人もたくさん捕まっていて。おそらく、あの、スンニ派ではない宗派も捕まっていて。家族で捕まっていて、外国人に捕まって売られたっていう話をしているわけですよ。そういう人がたくさんいるわけですよね。だから、自分の件がすごくニュースになりましたけど、もっとひどい目に遭っている人たちはすごくたくさんいて。で、空爆の音も聞こえましたけども、ものすごい数の人たちが犠牲になっているわけですよ。その現地の状況っていうのは知る必要があるし」

その時、ナジーブさんが反応した。

「どうして知る必要があるんですか？　知る必要もないという人もたくさんいますよね？」

安田さんは、こめかみに人差し指を当て、一旦沈黙した後に、こう続けた。

「地理的に遠いので、気にしないっていう人は多いと思うんですけど。まずあるのは、遠い場所なら人が死んでいても気にしないという人は、多分、隣近所の人が死んでも気にしないと思うんですよね。そういうことを言い始めたらもう、人間社会は壊れちゃうと思うんですよね」

分断を引き起こすのは一体誰なのか。安田さんの言葉にその答えが含まれているように聞こえた。

分断対談❹

「分断の時代を読み解く」×報道キャスター・長野智子

長野智子（ながの・ともこ／1985年フジテレビに入社し、数々の人気番組を担当。その後渡米。ジャーナリズムやメディア論を専攻し、本格的に報道キャスターの道へ。現在はハフポスト日本版編集主幹、国連UNHCR協会報道ディレクター、専修大学文学部特任教授など。毎週日曜16:30〜テレビ朝日系『サンデーステーション』でキャスターを務める）

罵倒されても、黙って聞き続けた少女

堀　実際、長野さんは報道の現場に携わっていらっしゃって、分断を感じる現場というのはいろいろありますか？

長野　それはそこら中にありますよね。でも今回作品を見て改めて「あっ」と思ったのが、パレスチナでした。

私も２００１年、アメリカ同時多発テロの２日後にパレスチナに入っているんです。それから10年間くらい定期的にパレスチナに取材に行っているんですけれど、全然変わってないんですよ。当時も、その状況を変えようとしている市井の人たちはたくさんいました。それこそ、私がパレスチナに行った時はネタ・ゴランさんという若いイスラエル人女性を取材したんです。「こんなに分断していては私たちの将来にも絶対問題がある」と言って、彼女はイスラエル人なのにパレスチナ側の議長府に立て籠もって、人間の盾みたいなことをやっていたんです。

堀　本当に若い世代が……。

長野　彼女の両親は、シオニスト（パレスチナにユダヤ人の民族拠点を設置しようとする

思想・運動支持者のこと）というか、反アラブ感情を持っていました。彼女は学校とかで周りの人たちを見ながら、「親の言っていることは間違っている」と気づいて、イスラエル人だからこそパレスチナ側に行ってできることは何かをすごい考えていると言っていました。

２００１年のパレスチナ情勢は２０００年9月に始まったインティファーダの影響もあって本当にひどかった。でも彼女は罵倒されても、危険な目に遭っても、「私はイスラエル人です」と宣言して、とにかくひたすら話を聞くというんですね。何時間も罵倒されたりとか、その人たちがされた仕打ちへの嘆きや家族が殺された話とか、何でも一通り話を聞く。黙って一生懸命話を聞いていると、パレスチナの人たちが最後は抱きしめてくれるんだって言っていました。

本当に小さなことなんだけれど、長い分断の中で私たち一人ひとりが相手の話に耳を傾けることができれば、これが何かの解決に繋がるんじゃないか。私はそう思った。でも、彼女がしたような黙って聞き続けることって、国のトップはまずできないんですよ。

堀　そうですね。

長野　市井の人たちがそういうことをやっている状況でした。それから10年後、そのネタ・ゴランさんに会いに行ったら、パレスチナ人と結婚していたんです。

堀　すごい。体現していますね。

長野　本当にすごいことです。結婚して、子どもを産んでいて、一緒に住んでいた。「結局こうなっちゃった！」とか言って、彼女は笑っていました。

その時に改めていろいろと話をしていたのですが、その中で「あなたがこうやって、私たちのことを伝え続けてくれることも、分断を解消する一つの役目だし、すごく支援になっているし、大切なことなんだよ」と言ってくれたんですね。でも、あんなに頑張っている子たちがいるのに、あそこはもう本当に変わらないなって悲しくなる。

堀　変わらないですね。パレスチナにしても、世界の分断の現場を取材する報道チームは、「この情報にニーズはあるか。伝えることで何か変わるのか」など、様々なジレンマを抱えながら、そういった問いに向き合っていると思うんですけれど、それに対しては長野さんはどのように感じて取材を続けていらっしゃいますか？

長野　正直、テレビという媒体に関して言えば若干諦めています。テレビにはどうしても視聴率を取らないといけないという現実がある。すると、報道する優先順位がおのずと決まってしまいますよね。

そういう仕組みの中で、今のテレビがシリアでもパレスチナでも国際情勢などの問題をトップで長くやることができるのだろうかというと、やや諦めに近い気持ちがあります。

だけども、今は幸運なことに、デバイスがものすごい多様化したことによって発表できる場が増えてきましたよね。

私は今、大学で教授として講義していますが、20歳前後の若い学生たちはみんなYoutubeを見ていたり、なんらかの形でそういったニュースを見ているんですよ。

堀　ＳＮＳを通じて動画とかニュースを見ていたりしていますね。

長野　テレビを見ていなくても、そういった新しいところで一生懸命見ていたりするから、私はむしろメディアの使い分けというか、役割分担を期待しています。

隣の人のことを、見ていますか?

堀　巨大な経済システムは、その中でイデオロギーを問わず、経済的な発展と人権や尊厳とが天秤にかけられていく状況があります。その中で、一つにはその天秤のバランスが悪い現場では非常に分断が生じているなということをすごく感じて、もう少しその巨大な装置そのものにも目が向くといいなと思いながら取材をしていたんですね。まさに長野さんも個人の尊厳ということに向き合いながら各現場を取材されていますよね。大きな仕組みの中にある個人、たりえるという。

長野　そういう意味で言うとフィンランドでは今、女性の閣僚とかが増えたりしていますが、ものすごく税金が高いといった社会主義的な面が若干あります。例えば、その形になれば分断というものがなくなるのかとか、そういった疑問をずっと抱いています。

でもわからない。経済のバランスが崩れると分断というものが起きるというなら、いわゆる社会主義的なことをやった時に、分断ってどうなるんでしょう？　多少はなくなるんでしょうか。

堀　僕は個人を最小の単位にした社会設計をしない限りは難しいと思います。それはやはり、コミュニティ重視とかもしくはそれが広くなってくると「国家」というものになってしまう。それは社会主義だろうと、自由主義社会だろうと、誰かが犠牲になることに変わりはない。

どんな経済システムであれ、個人の尊厳ときちんと向き合わなければならない。それは、統治する機構の側もそうなんだけれど、個々人が隣をきちんと見合えるような、そういう価値観を共有することなどが大事だと思いますね。

それで言うと、平壌に行った時に「朝鮮〝民主主義〟人民共和国って言いますよね、この民主主義って何なんですか？」と聞いてみたんですよ。すると彼らは「我々は民が主だ」

と言うんですね。ああ、なるほどと思いました。自分たちで何でもやるということを、委員長が貫いているのは、この国なんだ、っていうのが民主主義なんだ、なるほどと思いました。

では「日本やアメリカのような民主主義はどう見えているんですか」と聞いたら「それは個人主義です」って。「民主主義という仕組みはあるけれども、それは誰のための選択をしているのか？　ということを見ていて感じますね。隣の人のことを、見ていますか」と言われて、確かに人権問題とかいろいろな問題を抱えているあの国ですけれども、「日本は個人主義の集まりですよね？」と言われたことには、半分当たっているなって思いましたね。

長野　そうですね。だから「民主主義国家」を考えると、自分たちが主人公というか、自分たちが選んだ政治家に託すというシステムが、時が経つにつれて、若干思考停止に陥っているのかなと思う時がすごくある。政治家に託しすぎ、ぶら下がりすぎというか。だから、そういう部分を突いている言葉なのかもしれないですね。

堀　安田純平さんはインタビューの中で、「遠くの誰かの死に興味がない人は、隣近所の誰かの死にも関心が持てないんじゃないでしょうか。でも、それを認めてしまうと人間社会が崩壊してしまう」と言っていたんですけど、なかなかいいこと言うなと思って。

長野　安田さんが言っていることはすごく当たっていますよね。さきほど若い人はテレビを離れても、いろんな情報にオンデバイスしていると言いましたが、その一方で、新聞を読んでいる学生って200人くらい出席している講義の中でもほとんどいない。

堀　いないんですか。

長野　いない。ネットニュースに携わっている知人の中にも、もう新聞なんかいらないって公然と言う人もいっぱいいる。けれど、私はすごく新聞を読むんです。何のために読むかというと、自分が一番関心のないことにも目を止めるという意味合いが大きいんです。なぜなら、元々関心があることは自分で調べに行くから。でも、毎朝新聞を何紙かめくっていると、自分が全く興味なかった情報が目に飛び込んできたりする。

堀　新聞を開いたら、ランダムにいろいろな記事が並んでいますからね。

長野　そういう作業は必要だと思っています。だけど今は自分の関心があるところばかりを見て、自分が注意を払わない情報が出てくると、そこでシャットダウンしてしまったりする人が多い。自分が知らなかった人たちのことを思って想像を働かせるといった機会すらないわけですよね。それはやっぱり怖いと思うんです。

やはり自分が知らない国のこととか物事にも想像力を向けたりとか、その国の人は大丈夫なのかなとか思ってみたりすることが、大切な第一歩ではないでしょうか。

固定観念 vs. ファクト、自分自身を常に疑い続ける

堀　この数年メディア環境も大きく変わりました。一方でそのメディア環境の変化と、政治のアプローチの変化にも、いろいろリンクしてくるところがあると思います。

例えばアメリカ大統領選もフェイクニュースであったりとか、ＳＮＳを使った強いメッセージや強いイデオロギー、強いインパクトのある映像など、そういったものでみんなの心に作用していく。イギリスのＥＵ離脱も、そういった性質を孕んでいましたし、どちらかというと、事実が伝わっていなくても、たとえそれを知らなくても、流れてくる情報によって、こうに違いない、こうあるべきだ、こうに決まっているだろうと固定観念やイメージがすごく力を持ってきた。ファクトというものが、追いやられている。固定観念 vs. ファクトという状況の中で我々の生業が力を失ってやいないかという懸念もある。

長野　それで言うと、我々自体が固定観念に陥っているのではないかとすごく感じますね。「メディアエリート」と言われるような人でさえ、固定観念に縛られている。これを、強く感じたのはブレグジットの取材の時です。私はＥＵ離脱に関する最初の投票の時、ずっ

とイギリスにいたんですが、ロンドンのメディアエリートの誰しもが、「ＥＵから離脱するわけがない」と言っていました。

でも、私がロンドンから車で４～５時間の漁師町に取材に行くと、漁師たちは口を揃えて「ここは俺たちの海だ。ＥＵが偉そうに仕切っていて許せない！　そんな世界は絶対に嫌だ」って言うんです。ほぼ１００％がＥＵ離脱支持。郊外の情報をメディアのエリートたちはまったく拾っていない。メディアエリートたちも、すごく固定観念にとらわれているところがあるんです。

堀　それはとても興味深いですね。なんとなく薄々感じていた話ですけども、日本国内のメディアも陥りがちですよね。

長野　多くの視聴者や読者たちではなくて、私たち自身が凝り固まってないか？　とすごく感じていますね。

堀　どうしてそういう固定観念にとらわれてしまうんでしょうか？　何がそうさせてしまったのか、この先も変わらないのか。

長野　なぜでしょうね。だから、固定観念って怖い。疑問を持たずにそう思い込んでしまっているんですね、きっと。

堀　でもそれは、気を抜いたら自分も陥ってしまう怖さがありますよね。だから、自分のイエスは一体誰のイエスなんだろうかというのを問い続けなければならない。当然こうですよねって思いがちなところも、いや、なんでそう思ったのかな？　って問うことが必要だと思います。

長野　それに私たちが陥りがちなこととして、実際に現場に足を運んだりすると、自分の見たものが絶対と思ってしまうところもある。

これをなくすには、自分自身を常に疑い続けるしかない。もはや他に手立てがないんですよね。今こう思っているけど大丈夫かオレ？　という問いかけを、常にやっていかないと怖いですよ。

堀　そうですね。長野さんは意識的にそうされていますか？

長野　なるべくそうしています。２０１６年のアメリカ大統領選でも大手メディアとかそれこそエリート層は、トランプは絶対当選しないよと言っていた。その直後のブレグジットだったから、その意識は余計に強くなりました。

「知る」だけで支援になる

堀　これから２０２０年代に入ります。世界に目を向けると、中国は速く強い力でもって経済的な発展を押し広げていっています。一方でアメリカとロシアは強いリーダーシップで、経済的な覇権を広げていこうとしている。こういった経済覇権が渦巻く中で、民主国家であろうとも、どのようにして個人の尊厳みたいなものが保たれていくのか。それが心配でもあり、懸念でもあります。

長野　２０２０年代はもっともっと、民間の人たちの力が重要になってくると思います。私も今、国連ＵＮＨＣＲ協会の報道ディレクターをやっていて、国単位で言うと難民問題などへの関心が明らかに低下しているんですね。アメリカにしても日本にしても、寄付金が明らかに減少している。それはブレグジットに代表されるようにヨーロッパも同じです。国が内向きになっている中、民間の力で、どれだけ彼らを助けることができるのか。私も、国連のＵＮＨＣＲ協会の一員として難民キャンプとかによく行くのですが、そこの人たちにすごく感謝されるんですよね。

例えば先日、ヨルダンのアズラック難民キャンプに行ったんです。ほとんどがシリアの人たちですが、「一番大変な時にこんなに助けてくれた。日本は遠い国だけれども、日本の人たちに、本当に私たちは感謝の気持ちを伝えたいんだ」と言ってくれるんですね。そこにいる人の半分は子どもなんですよ。そういう大変な時に、日本人である我々がそこに行って、いっしょにスポーツをしたり、インターネットの勉強をしたりする。みんな日本の人ありがとうって、今までは、将来の夢なんか見たことがなかったけれど、ネットの勉強をしたりスポーツをしたり何かの勉強することで、将来はどんなことができるのかって、夢が見られると言うんです。それで、その夢が叶えられたら、日本に恩返しがしたいとみんなが言ってくれる。だから、日本はいかに民間の力で、そういった小さな子どもたちの夢を育ててあげられるか。それが私たちの未来にも繋がるはずです。

堀　長野さんの言葉を受け取った方がアクションに移すためには、どう思ってもらうのが一番いいのだろう。「そうなんだ」で終わってしまい、自分に何ができるのだろうかと、もどかしさだけ抱えている人も多いと思います。

長野　本当に何かしたくて、でも何をすればいいのかわからないということなら、まずは寄付がありますよね。自分の生活が大変でそれどころじゃないという人は、私、別に何かしなくてもいいって思います。ただ、知ってほしい。知って、想像力を働かせてほしいなと思うんですよ。

さきほども話したけれど、海外の大変なところに行ったりすると、伝えてくれることが支援なんだと言われます。知ってますよ、見てますよということが、例えば非人道的なことをしている国への抑止力になるわけじゃないですか。第三者が見てますよ、あなたたちがやっていること、知っていますよということが抑止力になるし、その意味で言えば知ることだけで支援になる。難民の方とか、国内だと被災された方とか、そういう困っている人たちを物理的に助けることができない人もいっぱいいるけれど、「知ること」が支援に繋がるんです。その上で自分に余裕ができた時に、何か行動を起こしたらそれが未来を変えることになるかもしれないし、小さな夢を育てることにもなるかもしれない。私は、そういうことでいいと思う。

堀　以前、アフガニスタンで平和構築をしている元タリバンのＮＧＯ職員の人が来日した時に話を聞く機会がありました。

その人はもともとタリバンの一兵士というか、民兵でした。その人がその活動をしている時に、アフガニスタンに米軍の兵士が来て、自分たちのＰＲのために治療薬をばらまいていったことがあったそうです。でもその薬は現地のニーズに全然合っていなくて、かえってそれで症状が悪化したりしてしまった。その民兵の彼が、米軍にちゃんとした薬をくれと言いに行ったんです。すると米兵が申し訳なかったと言って、ちゃんとした薬をリサーチして、置いて行ってくれたのだそうです。それをきっかけに彼は、対話をしたらなんとかなるかもしれないと思って、NGOとかそういう人道支援の活動に興味を持ち、自分でその扉を叩いたんですね。それから自分でNGOを作り、平和を構築するために、子どもたちの教育を変えるために活動しています。

さきほどアフガン戦争の話がありましたけど、その方が言っていました。今や、アフガニスタンの情報は世界でほとんど報道されなくなったんだと。でも報道が引いたことで、ISの活動域が広がってきている。注目されない報道の空白域は暴力の醸成器なんだって言ってましたね。

長野　カシミール地方出身の方と話した時も、そこの現場の人に「カシミール問題って、全然注目されていないでしょ？」と同じことを言われました。あまりにもみんなが、関心を払わないからひどいことが起きているんだ、もっと知ってほしいし、自分たちに起きていることを伝えてほしいと。現場の人がそう思っていると知ることで、私たちはやりがいを持てるし、知るだけでいいのかなと思っている人にも、知ることだって立派な支援なんだと伝えることができますよね。

第5章

分断の手当て 日本と朝鮮

疑心暗鬼

2017年9月、東京都千代田区平河町、砂防会館。

結成20年の節目を迎えた「拉致被害者家族会」の皆さんが、被害者の完全奪還を求める集会を開いた。壇上には22歳で拉致された田口八重子さんの長兄で、家族会代表の飯塚繁雄さん、13歳で拉致された横田めぐみさんの母親、横田早紀江さんなど家族の帰還を待つ会のメンバーが静かに座っていた。

めぐみさんの父親の横田滋さんは当時84歳。体調を考慮し、ビデオメッセージでの参加となった。高齢を理由に登壇できなかった出席者が少なくなかった。超党派の国会議員たちも列席していた。

司会者の呼び込みで、安倍晋三内閣総理大臣が拍手で迎え入れられた。この年、北朝鮮・朝鮮民主主義人民共和国は金正恩委員長の命令のもと、16回にわたるミサイルの発射実験を繰り返し、9月には核実験も行った。両国の関係は緊張の中にあった。

安倍総理は冒頭のスピーチでこう述べた。「北朝鮮は、国際社会の度重なる警告を無視し、先月29日、一昨日と、わが国上空を通過する弾道ミサイルを立て続けに発射し、さらに、今月3日には、6回目となる、核実験を強行しました。北朝鮮の暴挙を止めるためには、国際社会全体で、北朝鮮に対し、最大限の圧力をかけなければなりません」。

国連の安全保障理事会は2006年以降これまでに10回以上の制裁決議案を採択している。北朝鮮への石油精製品の輸出制限や北朝鮮の収入源になっている石炭、鉄、鉄鉱石、海産物の輸出を全面的に禁止するなど、制裁の枠をその都度拡大してきた。一方で、原油や天然ガスの輸出の全面的な禁止は、厳しい制裁に慎重な中国やロシアが拒否権を行使しないよう配慮する形で見送られてきた。

さらにこうした国連の制裁に加えて、日本政府は、貨客船「マンギョンボン号」の入港禁止、北朝鮮の港に寄港した全ての船舶の日本への入港禁止など、独自の制裁を続け、人の往来を厳しく制限している。

「最大限の圧力」。それは日朝関係に、どんな影響を与えているのか？　朝鮮半島は目と鼻の先にあるが、国交もなく、まさに「近くて遠い国」だ。2018年8月、私は平壌へ飛んだ。

近くて遠い国

北京空港から朝鮮国営の高麗航空の旅客機で東へ800㎞。約2時間のフライトで平壌空港に着いた。建物の規模感や内装は雰囲気が日本の地方都市の空港によく似ている。手荷物の受け取り場は、真っ白な壁に囲まれ、タイル張りの床がしっかりと磨かれていて清潔感があった。空港を出るためには、持っている携帯電話やカメラのチェックを受けなくてはならない。金正恩氏をはじめ、国家指導者たちを揶揄するような写真やポルノ画像などの持ち込みは禁じられている。携帯やカメラのデータを一つ一つチェックし、担当者が不適切だと判断したものはその場で消去されることになる。

平壌へは17名の日本の大学生や引率の大人たちと共に訪れた。日本のNGO「日本国際ボランティアセンター（JVC）」では、政府の経済制裁とは離れ、民間交流として、日本の大学生と平壌の学生とが交流できる場を10年近くにわたって作り続けてきた。

前年の2017年は、ミサイル・核実験で軍事的緊張が高まる中、大学生交流が中止。事務局だけの訪朝だった。雨が降る日も、風が吹く日も、日が照る日も、事務局では交流の機会を絶やしてはいけないと、訪朝を続けてきた。2018年は南北首脳会談等もあり、情勢が大きく変化。大学生交流を再開することができた。

２０１２年の初めての大学生交流会では会議室で短い時間を過ごすだけの交流だったが、回数を重ねるうちにともに過ごす時間が年々長くなっていった。当初は朝鮮側にとって都合の悪い話題が出ると、対話が打ち切られる場面もあったというが、今では、学生同士が拉致や核・ミサイルの話題や戦争責任のあり方などについても自由に対話ができる場にまで成熟した。私は分断された両国の若者がどのように関係を築いていくのかこの目で確かめたくて、訪朝団の一員に加わった。

出国ゲートを出ると平壌外国語大学出身の２人の女性が出迎えてくれた。卒業を控え、翌年から日本語教師になるというミョンシムさん、後輩のウンジュさんだ。２人とも「初めまして」とはにかみながら日本語で自己紹介をしてくれた。水玉のワンピースにヒールの着いた靴がかわいらしくもあった。日本側の学生たちも敵対する国の市民とのコミュニケーションに戸惑いながらも、あまりに流暢な日本語と、可憐な２人の女子学生の姿に、徐々に打ち解けていく様子が伝わってきた。

朝鮮の若者たちをじっと観察しながら、言葉を一つ一つ選んで丁寧に会話を進めようとしている若者に注目した。仙道洸《せんどうこう》さん。当時、関西の大学に通う４年生の学生だった。父

「日本国際ボランティアセンター（JVC）」が開催している日朝大学生交流会の2018年の集合写真。後列の右から2番目が仙道洸さん。仙道さんは2019年の会にも参加し、朝鮮の学生と対話を重ねている

親の仕事の都合で大学に入学するまでの間、ロシアで暮らした経験がある。「旧社会主義圏で過ごしたからこそ、近くて遠いこの国の市民の暮らしに関心がありました。同じアジアにいながら、全く情報もなく、交流もないことに違和感がありました。どんな国で、どんな人が暮らしているのかを知りたい、それが参加を決めた理由です」。

空港には観光バスが迎えにきていた。ミョンシムさん、ウンジュさんに加え、非政府組織とされている朝鮮対外文化連絡協会（対文協）の職員が随行した。対文協は外国からの

政府関係者以外の民間団体の受け入れ組織で、文化交流の促進などを主な業務としている。市内では対文協の職員と共に行動することが原則になっている。

バスに乗り、平壌中心部に移動した。道中、写真などを撮影して良いか尋ねたところ「検問所と軍事施設、軍人の顔のアップさえ撮影しなければどこを撮っていただいても構いません」と案内があった。

初めて見る平壌の街並みは思った以上に近代的だった。高層マンションやガラス張りのオフィスビルなど、ここ数年で新たに建設された街並みが続く。町の中心部、金日成広場では9月9日の建国70周年式典のマスゲームに参加する若者たちが練習を続けていた。

また、街中ではタクシーや路面バスが頻繁に行き交っていた。乗車率の高さが目立つ。「去年よりもタクシーの台数が増えた」とJVCの宮西有紀さんは驚いていた。宮西さんは大手IT企業を退職したあと、JVCに入り、学生交流の担当として、前年も訪朝している。

市内では、フォルクスワーゲンやベンツなどのドイツ車に加え、日本のトヨタや日産車も走っていた。古い型ではあったがレクサスも通り過ぎていった。

国連の経済制裁の影響で前年度こそマイナス成長となったものの、「科学重視」を掲げる金正恩体制の下、ITやバイオ技術などへの投資を強め、発展を目指してきた。ドイツやオランダなどヨーロッパからの観光客もいた。日本、アメリカ、韓国とは国交はないが、

平壌の中心地「金日成広場」側から撮影した高さ170メートルの「主体思想塔」。向かって左に見えるのが「朝鮮中央歴史博物館」だ

世界163の国々とは国交があるというのを忘れてはいけない。

「ここが、平壌のゼロ地点の、金日成広場でございます。皆さんが座っている左側が、正面でございます。金日成広場。この一番うしろにですね、朝鮮式の建物があります」

対文協の日本担当、桂（ケイ）さんがバスガイドのように、巧みな日本語で街並みを説明していく。時々ダジャレを交えての解説で、場の雰囲気を和ませていった。朝鮮での滞在中、桂さんとは何度も酒を酌み交わしながら、腹を割って政治的なテーマや安全保障に関わる話について対話と議論をした。後ほど紹介したい。

さて、1時間くらい走っただろうか。我々を乗せたバスは、高さ170メートルの「主体思想塔」に到着した。最高指導者の金日成氏の生誕70年を記念して建てられた塔で最上階が展望台になっているという。

エレベーターで上がると平壌市街地を一望できた。観光スポットの一つで、中国人の団体客とすれ違った。

最上階から見下ろす平壌の様子は爽快だった。市内を流れる大同江（テドンガン）を挟んで東西にまたがって街が広がっていた。平壌の人口は約250万人。朝鮮の全人口の1割が首都で暮らしている。

ピンクや緑のカラフルな集合住宅が密集する伝統的な地域から高層ビル群が並ぶ新しい開発地域までどこを切り取るかでその表情は様々だ。日本の学生たちも「報道で見ていた街並みと印象が違う」と驚きを隠せない様子だった。新しい高層マンション群が立ち並ぶ一画は「未来科学者通り」と名付けられ、科学者や研究者が優先して入居できる特別区だ。科学技術の向上を国家戦略に掲げており、「担い手である科学者を優遇し、将来の人材確保にも繋げていくのが狙いだ」と説明を受けた。「核兵器の開発に成功した今、これまで核開発と経済発展の両輪に投入してきた国家予算を、いよいよ科学技術と国民生活の向上にあてることができる」と語り、今後の発展に期待をにじませていた。

道中のバスで通訳のミョンシムさんといろいろな話をした。「流暢な日本語をどのようにして学んだのですか?」、そう訊ねると、「小学生の頃から日本に興味があった」と言い、こう続けた。「好きなアニメは……『ハウルの動く城』。歌を歌いながら歌詞から日本語を学びました。トトロの歌も歌えます。面白かったアニメは、小さい時に見たから一番印象に残っている『天空の城ラピュタ』。ラピュタは精神がいい。故郷を守る。郷土愛がありますよね。共感します」。ジブリ作品は彼女の心に郷土愛を感じさせたというのだ。

そんな彼女にもう一つ質問をしてみた。国連の経済制裁についてだ。この回答にも驚いた。「正直しんどいです。生活の質を落とさなくてはいけなくなったから。私の趣味は休みの日に雑貨屋さんに行って食器やキッチン用品を見ることなんですね。制裁が始まってから、海外からのかわいいものが入ってこなくなって国産品に代わっていきました。気に入っていたものが、見られなくなって少し悲しいです」。

他にも、ヨーロッパなどからの輸入物のピアノが入ってこなくなり、国内工場の稼働で国産ピアノが最近ようやく手に入るようになったのでホッとしているという話などもあった。制裁での生活影響を聞くと、あらためて平壌で暮らす人たちも私たちと同じ生活者なのだということが実感できる。そして経済制裁は効いていた。

ミョンシムさんとの会話は弾んだ。気がつくと平壌外国語大学に着いていた。ここで、日本の学生と平壌の学生たちが対面し、数日間にわたって交流を深める。キャンパス内にはイタリアや中国など海外から平壌に学びにきた留学生の寮などもあった。天然芝のグラウンドでは学生たちが休憩時間にサッカーをして体を動かしていた。若者たちが笑いながらボールを蹴りあっている姿が新鮮に見えた。当たり前の風景に目新しさを覚えるほど、私のイメージは凝り固まっているのだろう。

日本の学生たちはまず、日本語を学ぶ平壌外国語大学付属の外国語学院の学生たちの教室を訪ねた。年齢は14歳から17歳。10名ほどの学生たちがヘッドフォンをして日本語教師の指導を受けていた。白いシャツに紺色のスラックス姿。スポーツ刈りでまだあどけなさが残る彼ら。教師の合図と共に日本の学生たちを笑顔で迎え入れてくれた。

平壌外国語大学の日本語学科は、かつては学部だった。今は日本語を学ぶ学生の数が減って学科に格下げになったという。特にこの15年、日朝関係は冷え込むばかりで学んでも将来の仕事に活かせないと、学生たちにとっても不人気な言語になったそうだ。人気は中国語と英語。しかし、それでも日本語を学びたいという学生たちの存在は貴重だと感じた。なぜなら外交交渉では彼らが外交官や通訳などとして活躍することが想定されるからだ。

日本文化を知り、日本人と交流した経験があるのとないのとでは交渉の態度も異なるものになるであろうと微かな期待を抱く。

日本の学生たちが教室の前に立って自己紹介をしたあと、簡単な質疑応答が始まった。

(日本の学生)「みなさんは将来何になりたいですか」

(朝鮮の学生)「私は将来軍隊に入りたいです」

(日本の学生)「どうして日本語を勉強するんですか?」

(朝鮮の学生)「僕のお父さんが元々日本語を専攻していたからです」

(日本の学生)「日本語の漢字は難しかったですか?」

(朝鮮の学生たち)「はい」

(日本の学生)「漢字、カタカナ、ひらがな、どれが難しかったですか?」

(朝鮮の学生たち)「漢字です」

こんなやりとりが続き、最後に日本の女子学生が「漢字は私も苦手です」と伝えると、教室内にどっと笑い声が響いた。

教室を移動し、7人の大学生たちと対面した。女子学生は一人。他は全て男子だ。体格の良さが目立つ。日本の大学生たちを観察するような眼差しで見ていた。お互い、間合いを測るように緊張する様子が伝わってきた。

彼らとは約3日間、行動を共にすることになる。自己紹介の後、テーブルに向かい合って座りお互い思っていることを質問し合った。蒸し暑さで額から汗が落ちてくるのがわかった。昔ながらの扇風機の風がそよぐ中、お互い言葉を選びながら質問を繰り出していた。

仙道洸さんが口火を切った。「どうして日本語を学ぶようになったのですか？」、返ってきた答えに困惑が広がった。「日本は朝鮮を植民地にしてきた歴史があります。自分は日本語を習って賠償をもらいたい」。和やかなムードで始まった交流なだけに「賠償」という言葉に反応できず、日本側からは「愛情？」と聞き返す場面もあった。

その後は、「日朝関係を新しくしたい。近い国だから中国語と日本語を学びたい。漢字があるので、まずは日本語を習ってから中国語を習えば身につけやすいと思ったからです」「日本は隣国ですから、経済的に協力するために日本語を学んでいます」と続いた。仙道さんは「僕たちは若い。大人になった時に朝鮮に行ったと言えます。君たちも日本人に会ったと言えます。人と人との関係が、大きな国などの関係に繋がっていくんだと思っています。人と人との関係から始めたいです」と思いを投げかけた。すると、平壌の学生がその言葉をなぞるように「人と人との関係から、国と国との関係に繋がるということですね」と、笑って反応した。

交流の後、仙道さんにマイクを向けると「自分たちの国の歴史を知らない。そして、朝鮮と日本の関係についてどこまで詳しく教科書に書かれていただろうか、そう思うと何も知らされていないのか、とも思いました」と複雑な表情を浮かべていた。

日朝双方の学生たちは、その後、同じバスに乗って平壌市内の施設をまわった。訪れたのは幼稚園や小学校の教師を育てる、教員大学校。そこでは、驚くべき授業の数々が展開されていた。ARやVRなど最新のデジタル技術を使った遠隔授業の技術を持った教師の育成現場だった。

発展を続ける平壌と貧困が続く農村部との教育格差を埋めるため、これからは遠隔授業で平準化を狙うのだという。子どもたちが視覚などの感覚で捉えられるようにプロジェクションマッピングの技術を勉強していたり、予想以上に技術が進んでいた。3Dホログラムなども使用するという。こうした現場を見聞きし、伝えると「平壌はショーケースだ」「北のプロパガンダだ」と言われるが、彼らは農村部と都市部の違いも認識していて、課題だと思っている。「平壌でモデルケースを作り、それを徐々にその他の地域に浸透させていくのが我々の国のやり方だ」と話していた。

最新の教育技術に関しては、平壌外国語大学の学生たちでさえ「初めて知った」と驚いていた。急速な発展を遂げようとしている、その一端を感じさせる授業だった。

こうした記録映像はなかなか日本国内の報道では目にすることができない。私たちがニュースを通じて知っている「北朝鮮」はごくごく一部なんだということを改めて認識させられる。日本で東京が最先端なように、朝鮮では平壌が最先端。日本も地方創生が課題であるように、農村との格差が課題だ。

議論

一日の交流が終わり空き時間ができると私は対文協の桂さんやそのほかの職員たちと酒を交えながら、政治的なテーマも積極的に意見交換した。その中で、今でも印象的な言葉がある。少しため息も混じっていただろうか。グラスを傾けながらこんな話をしてくれた。「我々は核開発をしていましたが、核開発が終わり、ようやく生活向上に取り組むことができる。正直ビジネスの話もしたい。いつも日本人と話す時は、『核』『ミサイル』『拉致』『歴史』の話ばかり。他の外国語を選択した同僚とは違う。他の同僚は出世をする。ビジネスの話をまとめてくるからです。そう考えると、朝日の関係は何も進展しない。自分が日本語を選択したのは正しかっただろうかと考えています。小泉政権時に希望を持って日本語を学んだのですが、それで良かったのかと。だから、こんな思いをさせるのは私の代で終わりにしたい。後輩たちには希望を持ってもらいたいんです」。桂さんの思いに嘘があるようには思えなかった。段々と桂さんとの間にあった疑心暗鬼が溶けていった。そして、思い切ってこう聞いてみた。「拉致問題が発覚した時には、どう思ったのですか?」と。職員の一人は天井を一度見上げて、言葉を手繰り寄せるようにしてこう答えた。「私も最初にそのニュースを聞いた時には飲んでいたコーヒーをこぼしそうになりました。我が国がこんなことをしたのか、と驚いたのを覚えています。ただ、その後、拉致問題があったことを認めて、調査をしました。再会できた方もいた。横田さんご夫妻には、めぐみさんのお子さん、つまりお孫さんにもお会いしてもらえる機会も作りました。再調査のリストも作成して日本政府に提出しましたが、受け取らなかったのは堀さんの国です」。私たちの対話はさらに踏み込んでいった。「しかし、これまでも日本側に送られた遺骨が偽物だったなど、信じようにも信じられない出来事もありましたよね?」と尋ね返すと、「それは日本政府の主張になります。私たちはやるべきことをやってきたつもりです」と平行線になった。切り口を変えて私はこう問いかけた。「今の金正恩委員長は、これまでの指導者に比べると、海外での留学経験などもあり、世界にひらけた改革派でもあるのではないですか？　実際に経済も発展させてきている。日本もこれまでとは違う交渉ができる可能性があるのか？」、私がそう語りかけると、桂さんの顔色が一変した。感情をコントロールしながらも強い口調でこう言った。「堀さん。堀さんは初めて平壌にやってきた外国人だから今日のところは理解しますが、そんなに簡単に私たちの国の指導者のことを口にしてほしくない。貧しかった時代からこの間、どんな思いで歯を食いしばって、一丸となってこの国を作ってきたのか。外国人のあなたにはわからないはずです。そんなに簡単に評価してほしくない」。そう言ってコップに入っていたビールを一気に飲み干した。返す言葉がなかった。どう返そうか迷って沈黙していると、桂さんは私のコップにビールを注ぎながら、息を一息大きく吐いてこう言った。「さぁ議論を続けましょう。私たち朝鮮人はどんなことも腹を割って話すのが大切だと思っています。意見が違っても、議論して酒を飲んで、翌朝にはまた元の通りです。聞きたいことがあれば、なんでも気にせず言ってください」。

桂さんたちとの対話はその後も夜が来るたびに続いた。1週間の平壌滞在を経て、私は日本に戻った。帰国すると外務省から私の事務所に連絡があった。直接電話を受けることができなかったので、伝言を聞いた。「日本国のスタンスをご説明したいので一度外務省を訪ねてください」という内容だった。外務省は国連や独自の制裁を理由に、日本国民に対して朝鮮への渡航を自粛するよう求めている。担当者の名前を聞いていたので、念のため折り返してみたが、先方も不在だったためこの話はうやむやのまま流れていった。

その電話の数週間後、私は都内で、学生やNGO職員たちと共に平壌での交流の報告会を開いた。訪朝団の座長を務めたJVCの今井高樹代表によると、一般の観覧希望者の中に外務省の担当者の名前もあったという。

報告会は都内の大学の講堂で開かれた。100人近い参加者が集まった。10日間の訪朝と学生交流などの様子を映像を交えて紹介した。学生たちも登壇し、感想を述べた。帰国後、学生たちは困惑していた。平壌での経験を周囲に話すと、「洗脳されているのではないか?」と揶揄されたり、心配されたりすることも少なくなかったという。また大学の友人など周囲との温度差も痛感したと話す学生もいた。そもそも関心がなかったり、そうした話題に拒絶反応を示されたりして、平壌での経験を話す相手すらいないと孤立感を味わっている、と気持ちを吐露する場面もあった。

仙道洸さんも、もやもやを抱えたまま帰国した学生の一人だった。歴史知識の不足や言語の壁によって、せっかくの機会を生かしきれなかったと悔しさを滲《にじ》ませていた。少しでも朝鮮語を話したり、理解できるようにしておけば良かった、朝鮮半島と日本の歴史についての知識をより深めることで、彼らの気持ちを理解できたかもしれない、そんな葛藤の中にいた。ただ、国家の体制も、イデオロギーも、生活習慣も全く異なる国で、同じ若者同士が未来を語り合うことができたという経験は何事にも代えがたい財産にもなった、と仙道さんは語っていた。「もう一度、朝鮮を訪ねたい」。それが、目標になった。

学生たちの率直な語りに、会場の参加者たちは静かに耳を傾けていた。映像に映し出された平壌の日常の光景に驚き、対話の中身に唸《うな》った。外務省の職員はどのような気持ちで参加しているだろうか、壇上からそんなことを思いながら人々の顔を眺めていた。

最前列、私の斜め前の席にメモを取りながら、一言一句逃すまいと前のめりで話を聞いている女性がいるのに気がついた。女性がメモを取り終え、顔を上げた瞬間、思わず「あっ」と声を上げてしまった。「北朝鮮に拉致された可能性を排除できない行方不明者」とされる「特定失踪者」生島孝子さんの姉、馨子さんだった。以前、取材でお話を伺い、私のラジオ番組にも出演して下さった方だ。政府が認定した拉致被害者に比べ、さらに情報が限られている。世間からの認知度も決して高いとは言えない。特定失踪者のご家族は、拉致被害者だけではなく、特定失踪者についてもメディアで取り上げて欲しいとNHK時代から何度もリクエストを受けていた。

生島孝子さんは１９７２年11月１日、31歳の時に東京で突然行方不明になった。両親を始め馨子さん姉妹にも失踪の理由などは見当がつかなかったという。それから46年が経った。手がかりは、西ドイツ経由で朝鮮に入った韓国の元経済学者、呉吉男（オ・ギルナム）氏の、「平壌市内の自宅アパート前で孝子さんと言葉を交わした」という証言だ。行方がわからなくなってから33年が過ぎた頃だった。足取りはつかめず、娘との再会を願った当時99歳の母親は失意の中、亡くなった。馨子さんは特定失踪者の会の一員として、２０１８年5月、国連本部でのシンポジウムに登壇してスピーチをするなど、発信を続けてきた。その馨子さんが学生たちの交流の様子を見守っていた。

どのような思いなのだろうか。複雑な思いが交錯しているのではないか、そんなことを思いながら、報告会の終了後、馨子さんに挨拶をした。馨子さんは、笑顔で返してくれた。「ご覧になっていかがでしたか？」と尋ねると、馨子さんは、「安心しました」と言って、学生たちの様子をもう一度見つめていた。「なぜ、安心という表現を使われたのですか？」、さらにそう問いかけると、「先日、国連でのスピーチの際、日本政府の方ともいろいろとお話をしました。やっぱり情報がないんだな、と思ってがっかりして戻ってきたところでした。しかし、今日ここに来てみると、あちらの学生と日本の学生が語りあって、私たちが知らされていない現地の様子を語ってくれていました。繋がっている人たちがいるんだ、そう思って安心したのです」。

馨子さんは最後、丁寧にお辞儀をして会場を去っていった。両国の問題を解決するために、何をするべきなのか。膠着したまま前進しない現状に交流の場が光を差し込んでいる。

再会の価値

2019年8月、私は撮影を兼ね、学生交流の一員として再び平壌を訪ねた。韓国の文在寅大統領との南北首脳会談を経て、アメリカ、トランプ大統領との歴史的会談も実現した後だった。

学生たちと共に平壌外国語大学に向かった。カメラのレンズの先には、仙道洸さんもいた。彼は再び朝鮮に渡って学生との対話を続けるため、大学院への進学を選び、異文化交流の研究も始めていた。「戻ってきましたね」と声をかけると、照れ臭そうに、「ですね」と返ってきた。学生たちを率いるリーダーの役割も負っている。再訪朝のために、朝鮮語での自己紹介なども準備してきた。

学生一行は、平壌中心部の地下鉄の駅を訪ねた。ホームには朝鮮の新聞が掲示されていた。伝えていたのは、日本政府の政策への批判だった。日本の消費税増税分で幼稚園や保育園の費用を無償化する対象から朝鮮学校の子どもたちの施設が外されたことは「弾圧」であると指摘するという内容だ。

２０１９年10月から日本では消費税が10％に引き上げられ、増税分は幼児教育の無償化など未来への投資にあてることを政府は決めていたが、朝鮮学校の子どもたちは対象から外れたことになる。消費税増税に関わる政策が、朝鮮半島との緊張に繋がっていたことをどれくらいの日本人が知っているだろうか。

平壌外国語大学の学生たちとの対話も、冒頭この話題から始まった。

仙道さんが「最近の朝日関係についてはどう考えますか?」と切り出すと、すぐに「昔より悪化していると思う」と返ってきた。理由を尋ねると、「幼稚園の補助金問題です」と固い表情だった。そして、今度は仙道さんが「どう思いますか?」と意見を求められた。「僕はすごく複雑です、そういう報道を見ると。歴史的なことがありますよね、朝鮮半島と日本には。皆さんはそうした歴史を学んできているんですよね。日本にいると、そうした教育の機会も限られているから。こうした問題が発生した時にどう考えていいのかもわからないんです。だから、知らなくてはいけない、まずそう思います」。仙道さんはそう答え、その後も相手の言葉を聞く、「知るために聞く」という姿勢を貫いた。

バスでの移動。仙道さんの隣には、ミン・キョンムさんが座った。大学を卒業後はテレビ局に勤めたいと話していた。ミンさんは、私が持っているカメラにも注目し、「それは4Kですか？　何ギガバイトのカードですか？」と興味津々な様子で尋ねてきた。「SONYの4Kだけど、4K知ってるんだね！」と返すと、「当たり前じゃないですか。私も撮影をするのが好きです」と笑った。仙道さんはミンさんに「いつか一緒に取材ができる日が来るといいね」と語りかけると、2人は意気投合して、オリンピックの取材や就職活動事情、将来の夢などについて語り始めた。

私からはミンさんに、トランプ大統領との会談について感想を聞いてみた。「トランプ大統領はミンさんにとってどんな印象？」と聞くと、しばらく考えた後に「鋭い質問ですね」と言って苦笑いを浮かべた。確かに意地悪な質問だった。これまで敵国として徹底的に向かい合ってきたアメリカの大統領に対して、国家指導者が握手で友好関係をアピールするようになった。急激な変化に国民の気持ちはついていっているのだろうか？　というのが質問に含んだメッセージだった。ミンさんは瞬時にそれに気が付いていた。しばらく間を置いてからミンさんは「曖昧ですよね。まだわからないです。言及するのが難しい。政治的に難しい問題です」と慎重に答えた。質問を変えて「交渉の先、どんな未来が理想ですか？」と聞くと、被せるように弾んだ声でこう答えた。「戦争のない世界。戦争はひどいです。人々が犠牲になるから。戦争のない明るい未来を作りたいです」。ミンさんの笑顔につられて、隣で聞いていた仙道さんも笑顔で頷いた。

今回の学生交流では、初めての試みがあった。これまでは平壌外国語大学の学生との交流が主だったが、新たに「朝鮮の東大」といわれる、金日成総合大学で日本語を学ぶ学生たちとの交流も行われることになった。将来は外交官や政府の要職につく可能性のあるエリートたちだ。

大学校舎の正面には巨大な金色の金日成氏の像が立っていた。大学は高台にあり平壌市内が見渡せる。

教室に入ると、2人の女子学生と5人の男子学生が私たちを出迎えてくれた。日本への留学経験などはもちろんないが、皆、発音が正確で、語彙も豊富で、文法も美しい。ことわざや故事成語などにも精通している様子で、私の方が、それはどういう意味でしたっけ？と聞き返す場面もあって赤面した。

グループごとに分かれての交流が始まった。仙道さんがテーブルに着くとハッと驚いた表情で、2人の学生の顔をじっと見つめた。自己紹介の時間で彼はまずこう切り出した。

「仙道洸と申します。大阪で、大学院の修士1年生をやっています。23歳です。えっと、あの、たぶん、去年、学院で……。僕は去年の夏も来たんですけど、お二人は、平壌外国語学院で、勉強されてたと思うんですけど」。私も2人の学生の顔をおぼろげながら覚えていた。その前の年、外国語大付属の学院（中等部）の教室を訪問した時に、彼らは私のすぐ目の前の席に座っていた。確かスマホで撮影していたはずだと思い、話を聞きながら、その時の写真を探した。

「いましたよね？」と仙道さんが探るように聞くと、一人の学生が「やっぱり！」といった調子で声を弾ませこう言った。「はい！　顔を覚えています。入ってきた時に、あれ？と思いました。再会ですね」と笑顔になった。

仙道さんが、「覚えていてくれたのですね！」と言うと、「当たり前じゃないですか」と嬉しそうだ。隣に座っていたもう一人の学生は「え、え、マジ？　え、いた？」と思い出せない様子。そこで、私が撮影した彼らの写真をその場で見せると、「あ！　これこれこれ！いましたね！」と、場は一気に和んだ。写真に写っていた角刈りの頭の学生は、今は長髪になっていた。「お前、髪型変わったなぁ！　おしゃれになった！」とからかうと、席に座っているみんなが嬉しそうに笑い声を上げた。「2回目ですね。きっと3回目がありますね。また会いましょう」と、朝鮮の学生たちが言うと、仙道さんは「必ずまた会いましょう」

と答え、3人で肩を組んで最後に写真を撮っていた。

仙道さんは「近くて遠い国だけど、こうして若者同士の繫がりで、私たち自身の手で未来を作っていきたいです。そのために、お互いをよく知り、一緒に考えたい。今回は本当に嬉しいです」と、再会の時間を味わっていた。

「以前も会いましたね。再会ですね」。このやり取りが生み出す空気は理屈では語ることができない、温かさがあった。政治的に、イデオロギー的に、歴史的に、人道的に、深い深い分断の中にある両国の未来は、こうした一つ一つの出会いと再会の繰り返しによって、前進のための扉を開くに違いない、私は撮影をしながら、そう確信した。

分断対談❺

「分断の時代を読み解く」×映像作家・丹下紘希

丹下紘希（たんげ・こうき／映像作家・アートディレクター・人間。数々の人気アーティストのミュージックビデオを手掛けながら、東日本大震災後、「このままでいいのか」という危機感を持ち、様々な視点を持つクリエイターと共に映像制作集団「NOddIN ノディン」を設立。社会に対して問題提起する映像作品を発表している）

お金との距離感

堀　よろしくお願いします。丹下さんは「分断」についてどのように感じられていますか。

丹下　まずは「分断」しないためにどうするべきか？　また、その「分断」の原因は何なんだ？　ということを考えさせられますよね。それを考えると、お金の存在が見えてくる。

映画でも、カンボジアの水上で暮らす物乞いの子どもに向けて観光客がお金を投げるシーンがありますよね。それを子どもがたらいに乗って取りに行くというシーンです。あれは日本人の僕らも既視感というか、聞いたことのある光景がフラッシュバックする。子どもたちが「Give me chocolate!」と言いながら、走り去るトラックにワーッと向かっていく、そのトラックからチョコレートやチューイングガムが投げ捨てられて、それを拾うという戦後の光景です。その子どもの親たちはどんな気持ちでそれを見ていたか？　そういったことがフラッシュバックしたような感じでした。

昔、アジアを旅した時に、中国の水墨画で有名な桂林にある陽朔（ヤンシュオ）という小さな村に行ったんです。その村に行くには漓江（リコウ）という川を下る必要があって、両岸を奇岩が立つ中、その漓江を下っていくんです。

堀　すごい景色でしょうね！

丹下　景色は本当に素晴らしかったです。割と大きな船で下るんですけど、その船を追って川っぺりを子どもたちが走るんです。「お金くれ」って言いながら。それでやっぱり同乗していた外国の方で、お金をあげる人たちがいたんですよね。僕、その人たちとすごく議論になって。これは30年前くらいの出来事で、当時の中国は、場所によっては非常に貧しいところでした。それに対して外国人からしたら本当にはした金だろうけれども、そういうことをするのってどうなんだろうと。「お金とは一体何なのか」をよくわからないまま享受して使っている。言ってみれば支配されている。そういう関係性が見えてくるんですよね。だから、一つは「お金」そのもの、もう一つは「お金を生み出す仕事」が分断の背景にあるんじゃないかと思います。

　それと、生業訴訟が福島のところで出てきますよね。生業訴訟を起こす人たちがいて、でも、かたや、訴訟を起こされる人たちも含めて、みんな生業はあるわけです。生業を守る、仕事を守るっていった時に起きるひずみというものがすごくある。つまり、それぞれが仕事というものを自分の中でどう位置づけているかによって捉え方が大きく変わってくるのではないかと思うんです。もちろん、巨大な組織に守られた仕事と細々とやっている自営業とか、規模とか影響力とかも大きく違います。でも僕たちは、その違いも含めて一緒くたに「仕事」と捉えていますよね。お金もそうです。この人にとって大事なその10円が、ある人にとってはゴミみたいなお金かもしれない。そこの差というものが伝えられないまま、今に至っているんだなというのをすごく感じます。

「難民」や「被災者」というレッテル

堀　丹下さんの活動や発信を見ていて、ぜひ伺いたいなと思ったのは、「自分の手のひらから生み出すこと」の大切さです。子どもたちに対しても「私が作る物」という価値をすごく伝えようとされているのではと見ていて思うんです。自分の価値で何かを見出すことの大切さというか。でもそれはそんなに遠いところにあるものではなくて、結構足元にあるのではないかという。

丹下　そうです。足元にあると思うんだけども、その足元の物を拾おうとした時に、とてつもない孤独にみんな襲われるということがあるんです。自分だけの価値を見つけようとすると、究極やっぱり自分一人なんですよ。その時に自分の足元の物を拾おうとすると、ものすごく孤独で不安に苛《さいな》まれる。だけれども、そこで勇気を持てるかどうか。とても難しいですけど、そこの自由に自分たちが価値を見出せるかどうかが大切だと思っています。

堀　先日、丹下さんは、過去のこれまでの仕事の内容をプロフィールにしないで生きてみるということを何かに書かれていたと思います。

丹下　こういうものは立派だとか、こういうことをした人は偉いとか社会が勝手に決めている価値があります。気が付いたら、社会が偉いと認める肩書が名刺にぶわっと並んでる人がいっぱいいて、その価値の通りに生きようとしてしまう。

でも本当にそれでいいのか、と。それを考えた時にやっぱり、自分が何を考えてどう生きるかということの方がよっぽど重要で、その組織の長であるとか、何か責任を持つポジションにいるとか、社長だとか肩書が優先してしまうのではなくて、これから自分がどう生きるかの方が重要なんだと。それに気づき、足元にある価値に気づいて踏み出すその一歩を、自分で応援できるかどうかがすごく大事で、おそらくそういう人たちがたくさん集まっている社会、つまり「あなたとあなた」という違いが認め合える社会が形成されると思うんです。

だから僕は大きな組織の価値観の中に入らないことで、まず一番小さな単位の私たちがお互いに尊重し合える状況が生み出せるんじゃないか、そこからがスタートだと考えています。

堀　自分のコンディションを作る、足場を作る上でもそうかもしれないですよね。その話は、僕が映画『わたしは分断を許さない』の中の「福島編」で、富岡で美容院を営んでいた深谷敬子さんにすごく共感を持ち、主人公にしたいなと思った理由と繋がるんです。

深谷さんは、震災によってこれまで築き上げてきたものを奪われた。選択の余地なんかなくて、暴力的に奪われたわけです。選んだわけではないのに、社会からは被災者というレッテルを貼られてしまう。それ以上でも以下でもなく。美容院という自分自身の歩みを振り返っても、もうそこに美容院はないんです。それでも深谷さんは、辛いはずなのに、その地に行く選択をするんですね。そこに深谷さんの強さも、ある意味こう、世の中の不条理さというのもすごく感じたんですよね。

丹下　難民の方も撮られていますよね。堀さんは、日本において「難民」という言葉が、あまりイメージが良くないものとして認識されているとおっしゃっていました。それでも、難民は難民としてくくられてしまうと。

堀　そう、まるで罪を犯した人のように。実際に難民の方々を収容する東京入国管理局の施設が東京拘置所のデザインと重なるんです。互いに監視し合うような作りになっていて、ああ、そういう扱いなんだなって。それに、東京入管で働く人は「監視員」という肩書で募集されているんです。入管の施設の職員の立場ってやっぱり「監視」して、水際で防ぐという役割なんですよ。逃げてきた、保護を求めてきた人たちにも同じように、監視というような向き合い方になってしまう仕組みしかない。

丹下　「難民」や「被災者」というレッテルによって、僕らが頭の中で勝手に作り上げてしまったイメージや言葉しか、その人たちに与えられないんだとしたら、ひどいですよね。だから、大切なのは、個人として付き合っていけるかどうかということだと思います。それはおそらくちょっとした心の持ちようとか概念で変えられるはずだと思うんです。例えば、最近はコンビニに行くと外国人の店員の方が非常に多いですよね。当然名札には名前が書かれていて、「〇〇さん、ありがとう」って名前を言って顔を見る。そういうところからしか始められないなと思います。

お金ではない評価軸は作れるか

堀　社会構造の変革には子どもたちの教育も大事だと思います。だからこそ丹下さんはPTA会長を務めるなど、教育にも力を入れていますよね。

丹下　以前エコスクールを見にバリに行ったんですけど、そこの校舎はすべて竹で作ってありました。それを作った人に話を聞いたんですけど、多くの学校の校舎はコンクリートで、刑務所とそんなに変わらない作りなんだということを、強調していました。それは管理しやすい作りだということです。だから、先生にしても、お互いにお互いを管理する仕組みになっている。これはすごく問題です。管理の枠から外れてしまった子は、言うことを聞かない子と断定されていき、先生の言うことを聞かない子は、周りがいじめていいんだと認定してしまうんですね。つまり、その管理システムが、そこに入らない人をいじめてしまう、差別をしていいんだという構造になる。それが小学校と関わってわかったことなんですよ。

堀　確かに言われてみれば、そうですね。刑務所と作りが一緒だというのは、ハッとさせられますね。さっきの東京拘置所と、東京入管の施設の話も全く同じようなことですものね。とにかく効率化を追っている。

丹下　翻って、僕らの命というのはそんなに効率良くできているのか。そんなことはない。ずっと昔から、僕らの命そのものは変わらないわけですよ。効率の中なんかに嵌《は》められないものです。だから、効率の中に嵌められる命しか評価されないんだとしたら、それがお金の評価軸であり、生産性という言葉かもしれないですけど、そうなってしまう。

でも、命そのものは、お金の評価軸では測れない部分をたくさん兼ね備えているわけですよね。ここを、ちゃんと評価する仕組みが必要なんですよ。お金じゃないことで評価する仕組みが、この社会に必要で、それが真っ当な社会になっていくということなんじゃないかなと思うんです。それが「分断」を生まないことに繋がるのではないかと。

堀　評価作りはようやくＳＤＧｓとか、投資にしてもＥＳＧ投資（環境Environment、社会Social、ガバナンスGovernanceに配慮している企業に行う投資）など、始まってきましたけれども、価値の転換というか、新たな評価作りとなると微妙です。

丹下　おそらくもっと振り切る形でやらないと、環境破壊とか、もう間に合わないんじゃないかなという気がします。そのくらいの危機感は感じますね。

堀　僕がＮＨＫ職員時代に、「僕らの国なんだから僕らで考えて動こう」というツイートをしたらすごいバズったことがありました。それで上司に呼び出されて、「これを早く消しなさい！」って言われたんですよ。

丹下　え、どうしてですか？

堀　「何でですか？」って聞いたら「国家を転覆しようとしているのか!?」って真顔で言われたんですよ。僕自身、原発の現場の取材もしていましたし、原発だけじゃなくて、大きな仕組みの中で私たちが踊らされている以上は、次の原発事故も起こり得るだろうという問題意識を持っていたんです。だから別に国家がどうとかの話ではなくて、自分たちの価値が置き換わっていかないといけないから、それを自分たちで変えていこうというそれくらいの気持ちだったんですけど……何で国家？　そんな感想、ある？　って。

ただ今、丹下さんの話を聞いていて、やっぱりその価値を180度変えるくらいのことをしないと、今の仕組みというのは、変えられないのかもしれないなと思います。

丹下　ただ、それはそんなに難しいことなんですかね。おそらく、順番を入れ替えるだけで価値は相当変わる。お金の生産性と命の非生産性の優先順位を変えるとか。

例えば、子どもにとって「勉強ができる」という価値基準が1つあるとするじゃないですか。その指針での評価はずっとあるわけですけど、勉強ができなくても、その子どもらしく生き生きのびのびしていれば、それはそれで大人たちは評価しているわけですよ。自分の子どもが、ヤンチャしてとんでもないことしても、それを評価する場合がある。勉強は全然できないけど、うちの子はすごくいいところあるんだということを評価しているわけです。

堀　なるほど、そうですね。

丹下　それをそっくりそのまま、大人の社会に持ち込めばいいんです。僕は大人が大人らしくあることというのがすごく窮屈なんですよね。

もう管理なんてできないわけですよ。だからみんな自分が管理者になるみたいなことを目指さないでいこうと思いますよね。評価の軸を管理できないところにおいて、それをみんなが謳歌すればいい。価値を生み出しているかどうかもわからないけど、遊びに価値が置かれて、遊んでいるように仕事をする。YouTuberにしても、それで食べていける世界が生まれている状況もありますよね。もちろん危ういところもいっぱいあるんですけど、これまでの評価の座標軸ではないところに突入している気もします。

堀　確かに、兆しはありますよね。

丹下　価値の転換の兆しはあるんですよ。ただ、そこでその先、最初に言っていたようなお金に支配されないとか、そういうことの順番を逆転するとか、人権と自由を守るとか、そのことをシェアした上で価値の転換が行われていくと本当はいいんですけどね。

堀　そうですね。でも今話を聞いていて、大人らしさの価値のバリエーションが乏しすぎるんだろうなと思いましたね。その中で確かに兆しが見えているなと思うのは、例えば、僕が子どもの頃は、「大人＝スーツを着ている会社員、サラリーマン」というのが一般的でしたけれど、確かに今、フリーランスをはじめ、働き方も多様化していますよね。仕事中でも私服で街を歩く大人たちも増えている。

丹下　そうなんですよね。その人たちが縛られていないことの良さっていうのかな。管理されなければ管理もしないような生き方が可能なのであれば、それが広がった方が良いと思うんですよね。

でもいつのまにか、お前も美味しい汁を吸っただろう、甘い蜜を吸っただろうという言い合いになる。例えば原発問題でもお前だって原発の恩恵を受けただろうとか、沖縄の基地にしても、米軍がそこにいることによっての恩恵をお前も受けただろうとか、いつのまにか、利益供託者という枠の中に置かれていくんですよね。だから、管理されずに自分自身で生きていくというところの部分を、ちょっとずつ増やしていくことが大切かなと思います。

堀　そうですね。さっき言った香港の若者の「経済に負けないでください」っていう現場からの声がまさに。

丹下　でもすごく負けているように見えるわけですよね、日本は。

堀　「こんなはずじゃなかった。それでも、諦めたくない。」というのが映画のサブタイトルなんです。友人でコピーライターの阿部広太郎さんがつけてくれて。

丹下　いつのまにか、ここまできちゃったということなんですかね？

堀　ただ豊かになりたかった、ただ平和でありたかった、ただ自由でありたかっただけなのに、なんでこうなってしまったのか。「仕方ないから」という選択に転ぶと、あっという間に支配されたままの環境になっていくと思います。

この大きなうねりを食い止められるのかどうか。資本主義がアフリカの突端まで食いつぶした後にしか築けないのか？　森林を焼き尽くした上でようやく築けるのか？

丹下　僕らもそうですけど、気づくタイミングってあると思うんですよね。だから、それを待たないのも変な話だと思います。ただ、実感として「知る」というのが大事ですよね。でも、知るとかわかるというのが、すごく曖昧な気がしています。

「わかる」とは何か。「知る」とは何か

丹下　ジャーナリズムに関しての質問というか、すごく思うんですけど、「わかる」という時に、いや本当にわかったのかな？　みたいな感覚がある。するとどこでどう感じたら自分はわかるということになるんでしょうか。どこまでいってもわかっていないかもしれないし、知ってもいないかもしれない。でも、たぶんその知ったりわかったりする手段が、乏しすぎるんですよね。だからメディアとしての伝え方もまだまだ全然乏しくて、もっと違う共感の仕方があるのではないかと思います。

いわゆる管理や支配をする大きな主語側にいる人たちが『わたしは分断を許さない』を

見たり読んだりするのかどうか。それはまた別の大きな問題だと思うんですよね。僕らにはそこの層に届かないジレンマがあったりもする。

また映画の中で、登場する方々が堀さんの質問に対して詰まるシーンがいくつかありますよね。例えば、沖縄の米軍基地の反対運動に参加している女性が、オスプレイの展示場所に行った時に、どういう気持ちですかと聞かれて答えられなかったシーンがありましたよね。どうしてここに来たのかが答えられないんだけども、知りたいやわかりたい、でも何をわかるのか、何をどうしたら知ったことになるのか、それすらもわからないからそこに行くしかないと思うんです。知りたいという気持ちでこの本や映画を見たからといって、当然全部を知ったことにはならないですよね。

それは実は、わからないところを発見する必要があるということだと思うんです。先ほどの沖縄の女性にしても、映画ではシリアで活動されている日本人の方が涙を流されているシーンがあって、彼女がその涙の理由をうまく話せなくなったあの瞬間にしても、やっぱり僕たちにはわからないことがたくさんあるんです。それは、現場にいる彼女たちもわからない、自分にはどうしようもないということがたくさんありすぎて、もう抱えきれない状態になって、涙している。僕もあれを見て、泣いてしまったんですけど、どうやってもわかってあげられない部分がたくさん存在するということの認識が大事なのかもしれません。そういう意味では、この映画を見て本を読んで、なんかわかった気になってしまうことは怖いなと思いますね。

堀　そうですね。僕は知らせたいと思って取材をする立場ですけれども、あまりにもこう、効率を求めるっていうのは、「決める」という作業なんだなって思うんですよ。

でもそれってやっぱり、弊害がいろいろあるっていうのはまさに、この世界が今、私たちが直面している世界そのものだから。もっと世の中は「わからない」んだということを、ちゃんと認めていくことが、次の扉を初めて開ける。だから「わかった」というのは、そこでそれについて考えるのをやめるということですよね。考えるのをやめたんだから、それで何が起きてもしょうがないじゃないかとなってしまう。その考える過程で切り捨てられていたものや、それによって大きな不幸を背負ったものは、もう次の話題に上書きされてなくなってしまう。

丹下　自分の狭い体験の中で「わかった」という、そういうステレオタイプの中に当てはめちゃってるわけですよね。知らない間に、相手の命をそういうものの中に当てはめてしまっている。でも実は当てはまらない。そこを認識しているかどうかが、自分たちが生きる上でずっと問われ続けるんだと思うんですよね。

終章

２０２０年2月。反体制派最後の拠点、シリア北西部イドリブ県で戦闘激化の一報が入った。全土掌握を目指すアサド政権軍が攻撃を強め、反体制派を支援するトルコ軍との砲撃戦に発展。街のあちらこちらで爆発音が響き、灰色の煙が立ち上った。地上戦に加え、アサド政権を支援するロシア軍による空爆により行き場を失った市民がトルコ国境へ殺到。新たな難民が発生する事態となり、人道危機が深刻化した。２０１９年12月からの２ヶ月半で69万人が新たに避難を余儀なくされた。「あの人は大丈夫だろうか？」と何人かの顔が浮かび、心がざわついた。

内戦は今も続く

２０１９年、イドリブの市民記者たちに映像を送ってもらったことがある。友人のシリア人ジャーナリスト、エルカシュ・ナジーブさんの協力で現地との連絡手段を得て、日本から取材を依頼した。元自由シリア軍の兵士や、武装勢力に拘束されながらも、民主化運動を先頭に立って率いてきたジャーナリスト、ラーエド・ファーレスさんへのインタビューを行った。ナジーブさんによると、シリア全土には4000人規模で撮影や編集などのトレーニングを受けた市民記者のネットワークがあるという。私の元に送られてきた映像にも一つ一つにGPSによる位置情報が添えられており、日本にいながら正確に撮影位置を把握することができた。有り難かった。

アサド政権軍からの総攻撃を前に、イドリブでは市民が民主化を求める平和的デモを続けており、孤立する中、世界からの支援を取り付けようと市民たちがSNSを使った発信を精力的に行ってきた。中には、柔道着を着た子どもたちが日の丸を掲げ、「助けてほしい」と訴える現場もあった。あの子どもたちは無事なのか、胸が張り裂けそうな思いだ。

イドリブは内戦前に比べて人口が増加したと言われる。BBCの報道によると150万人の人口は最大で300万人に膨れ上がった。内戦の激化で、アレッポ、ホムス、ハマー、首都ダマスカスなど、シリア全土から国内避難民となった人々がイドリブに逃げてきたからだ。多くの避難民が孤立した状況で、国際社会からの支援を待っている。この原稿を書いている今も、イドリブでは戦闘が続いている。現地から送られてくる映像は直視できないくらい残酷だ。崩れ落ちた建物から救出される子ども。ぐったりしている。血を流して倒れている人々を必死に救護する市民の姿も。日本国内では報道が少ないのが悲しい。国連の統計では、9年近く続くシリア内戦によって550万人が国外で難民に、600万人超が国内避難民になった。第二次世界大戦以来、最大の数だ。

シリア内戦のニュースを聞くたびに思い出す子どもたちがいる。シリアと国境を接するヨルダン北部の都市マフラク。東に10キロ、砂漠の真ん中に「ザアタリ難民キャンプ」がある。2019年1月、私はこのキャンプを訪ねた。

ザアタリは国連によって2012年7月に設営され、今も約7万5000人が生活を続ける。広大な敷地にテントやプレハブの家々がびっしりと建ち並ぶこの場所で、ピーク時には20万人ものシリア難民が暮らしていた。風が吹けば視界が遮られる程の砂埃に包まれ、雨が降ればたちまち地面はぬかるんで足元をすくわれる。限られた電力、限られた物資、限られた教育環境の中、多くの子どもたちがここで学び、未来を手繰り寄せようとしている。戦火をくぐり抜けてたどり着いた子どもたちもいれば、祖国シリアを知らないキャンプ生まれの子どもたちも少なくない。ここで出会う子どもたちの笑顔は屈託がない。大きな瞳の奥には輝きが絶えない。人懐っこさも人一倍だ。カメラを構えると、思い思いにおどけて見せたり、歌を歌ったり、ポーズをとったり、お気に入りのフレーズを大きな声で叫んだり、皆元気だ。しかし、内戦の記憶は生々しく今も子どもたちの心に深い傷を負わせている。

「爆弾が落ちた日、僕はおばあさんの家に行っていました。一発のロケットが家に落ちてきて、全てを壊してロケットは去っていきました。そして次の日、もっと強力な爆弾が村を、シリアを、襲ったのです」

「私は7歳の時にここに来ることになりました。私は自分の家や、家のオリーブの樹のことをよく覚えています。そのオリーブの樹で遊んだり、実を摘んだりしました。だから祖国を離れなくてはならなかった時、とても悲しかったです。そこは私の国で、住んでいた場所であり、育った土地であり、生まれた土地だからです。私たちは今この国にいますがいつか自分たちの国に帰れる日が来ることを願っています。私たちは祖国を愛しています」

これらは「世界難民の日」にあわせ、子どもたちがカメラの前で自発的に語ったメッセージだ。日本人に伝えたいことを語ってほしいと呼びかけたところ、多くの子どもたちが、祖国シリアの窮状を訴えた。知ってほしいのだ。大人たちが気がつかないうちに小さな体に使命感を背負わせていた。

国境なき子どもたち

ザアタリには、過酷な現実を目の当たりにした子どもたちに安らぎの場を提供しようと、支援を続ける日本のＮＧＯ職員がいる。「国境なき子どもたち」現地職員の松永晴子さん。元々は彫刻家で美術の教員の経験もある。青年海外協力隊の隊員を経て、今、ヨルダンで難民の子どもたちの教育支援を続けている。

「子どもたちに将来の夢を聞くと、医者か教師と答える子どもが多いんです」。そう語る松永さんに「立派な子どもたちですね」と返すと、意外な言葉が返ってきた。「違うんです。子どもたちはそうした職業しか知らないんです。国連から派遣された医療従事者たちか、学校の先生か。キャンプの中では仕事も限られているので、世の中には様々な職業があるということさえ知らないまま大きくなってしまって」。長引く内戦で親たちも疲弊している。家庭内では父親が暴力を振るったり、気力を失っていたりもする。10年目を迎える内戦は、子どもたちの未来まで奪い取ろうとしている。

こうした現状の中、「国境なき子どもたち」はキャンプ内の公立小学校の中に教室を設け、

内戦状態にあるシリアから逃れてきた人々が暮らすザアタリ難民キャンプで、2011年から子どもたちに音楽や演劇、美術などの教育を通じて心のケアを行う松永晴子さん

ここで子どもたちの情操教育を担っている。歌や演劇など様々なプログラムを開発し、試行錯誤を続けながら、子どもたちの心の育成を目指す。

教室には可愛らしい「熊」のマリオネットが飾ってあった。日本で活動するマリオネット作家、オレンジパフェさんがキャンプの子どもたちに送ったものだ。ハビーブと名付けられた。

オレンジパフェさんは東日本大震災や熊本地震で被害を受けた地域の子どもたちの施設に、一体一体、手作りのマリオネットを寄贈して回る取り組みを続けてきた。「無力感に苛まれていてはいけない、自分のできることをやるしかない」。そんな想いからの支援だった。さらに、2年前、シリアの内戦や難民キャンプの実情を知り、一時帰国中の松永さんにマリオネットを手渡した。「子どもたちの様子を直接見たい」。そう語るオレンジさパフェんと一緒にザアタリを訪ねた。教室ではアブダッラー先生が操るハビーブの周りに子どもたちが集まり、歓声を上げながら様子を見つめていた。両手を広げ、ステップを踏み、時にユーモアたっぷりに踊り語りかけるマリオネットのハビーブは、心に傷を負った子どもたちと学校を繋ぐ重要な先生役の一人となっていた。

高学年の男の子たちでさえ目を輝かせながら一生懸命人形と会話をする姿に、彼らが背負ってきた過去の辛い経験や閉塞感漂う日常の景色が透けて見えるようにも思えた。

ハビーブと子どもたちを見守る松永さんは「公教育の機会を切らしてはいけないんです」とつぶやいた。「国境なき子どもたち」の活動は、放っておけば引きこもりになってしまいそうな子どもたちを学校まで誘うのも目的の一つだという。しかし、苦労も多い。内戦で教師たちも沢山命を落とした。キャンプでは経験のない大人たちが教師として教壇に立つことも少なくない。落ち着いて授業を受けられない男の子たちを、思わず大きな声で叱りつけたり、ゴムホースを机に叩きつけて音で威嚇をしたりして黙らせることもあるという。教育の質をどう担保するのかが課題だ。子どもたちの健全な成長は、将来のシリアの

シリア・グータ出身のビサーンは、2011年のシリア内戦から逃れて、母と兄と共にザアタリへやってきた。「将来の夢は小児科のお医者さんになること」と笑顔で語ってくれた

再建にも関わる。当たり前だが子どもたちにもそれぞれ実現させたい夢がある。

帰還

現地で一人の少女に出会った。ビサーン、11歳。彼女は化学兵器の使用が疑われ多数の死者を出した首都ダマスカス近郊の街から母親と兄と共にヨルダンに逃れてきた。父親はシリア国内で行方不明のままだ。聡明な瞳と、はにかんだ笑顔が印象的な可憐な少女。教室での取材中、一緒に後片付けを手伝ってくれたり、ハビーブへの想いを一生懸命語ってくれたり、支援を続ける日本人への感謝を綴った手紙を書いて渡してくれたりもした。カメラを向けるとまっすぐこちらを見つめて、ピースサインで応じてくれた。そんなビサーンの将来の夢は小児科医になること。理由を尋ねると「傷ついた子どもたちの命を救いたいの」と教えてくれた。今の希望は何かを尋ねると、しばらく沈黙した後に「シリアに戻って、父親と家族みんなで暮らすこと」と、笑顔で打ち明けてくれた。

内戦から9年近くが経過し、キャンプではシリアへの帰還を選択する家族も増えてきた。インターネットを通じて漏れ伝わってくる限られた情報を頼っての選択でもある。不確かな情報ばかりだが、シリア国内からの発信は政府によって厳しく管理されている。帰った先に安全が待っているとは限らない。難民キャンプからの帰還者は、拘束され尋問にあうという報道もある。それでも、未来への見通しが利かないキャンプでの生活よりもマシだという判断から、苦渋の決断で帰国する人たちの声もいくつか聞いた。ビサーン一家もそのうちの一つだ。

私がキャンプを訪ねた日は、ビサーンが教室で学ぶ最後の日だった。最後の最後まで教室に残って松永さんに話しかけていた。何かを伝えたかったのか、名残惜しそうに話を続けていた。一旦帰国してしまうと松永さんも自由に連絡を取ることができなくなる。取材の最後に、ビサーンはとびっきりの笑顔でポーズを取ってくれた。キャンプを出なくてはいけない時間が迫り、バタバタと別れを告げて、ビサーンの小さな背中は砂埃の向こう側に消えていった。

松永さんは流れる涙を必死に抑えながら「大丈夫。大丈夫。あの子なら。あの子ならきっと大丈夫。人の気持ちがわかる良い子に育ってくれる」と、祈るように天井を見つめた。そして、こう続けた。「私がもしビサーンの家族だったら、何が何でも今は帰っちゃだめ、と引き留めます。でも、私はそういう立場ではないから。だから、大丈夫よ、いつも味方だよって見送ることしかできない。でも。果たしてこれが本当に良い選択だったのか」。松永さんの瞳から溢れる涙は止まらなかった。

自問自答を続けながら、松永さんは今も現地で支援を続けている。

希望の花

シリアから送られてくる映像を見ながら、ビサーンの今を想う。怪我をしていないか。

怖い思いをしていないか。お父さんには会えたのか。また避難をしていないか。生きているのか。大丈夫、大丈夫と言い聞かせながら、彼女の未来を想う。将来、小児科医になったビサーンが子どもたちを救う姿を見たい。再会したい。必ず会いに行く。そう思っている。

帰国後、私はビサーンの物語やザアタリで起きていることを日本の小学生たちに伝えるようになった。保護者や先生たちからメディアリテラシーを教える出前授業を依頼されることがたびたびあるので、その都度、撮影した映像を見てもらっている。

難民キャンプの子どもたちのランドセルには、日の丸がプリントされているものがある。ユニセフを通じて日本からの寄付金で送られたものだという。私たちの暮らしと、彼らの未来は繋がっている。知らずに、想わずに、気がつかないままでいいのか。

キャンプ取材の最終日、少女たちがハビーブのお礼にとマリオネット作家のオレンジパフェさんに言葉を送った。

「私たちシリア人のことを想ってくださり感謝しています。遠く離れた日本の皆さんからの支援は、私たちにとって希望の花です。ありがとうございます。ハビーブをこれからも大切にします」

子どもたちのメッセージを聞いて、日本で暮らす私たちは何を想うか。シリア難民の今を語ることができるだろうか。知るだけでもいい。知れば私たちは想うことができる。想いはやがて行動に変わる。

先日、千葉県浦安市の小学校で行った出前授業で映像を見た子どもたちが、家に帰って家族に熱っぽくシリア難民のことを語ってくれたという。学校の先生たちが後日談として教えてくれた。

それこそ希望だ。大人たちの行動一つで、子どもたちの未来が変わる。無知、無関心は孤立を生み、そして分断を深める。知るべきだ。辛くても。苦しくても。面倒であっても、社会を構成する一人として、知ることだけは続けようと思う。


私は、私が目を逸らすことで生み出す分断を許さない。

あとがき

主人公の一人、福島県富岡町出身の深谷敬子さん。今、自らの被災体験を語り部として伝える活動を始めています。「誰かが伝えなくてはいけない」と、生業訴訟の原告団の先頭に立って各地で発信を続けています。地方での講演に同行したことがあります。会場からは「全然知らなかった」という声を聞きました。原発事故から時間が経つにつれて人々の記憶が薄らいでいるとは思っていましたが、そもそも事故後の詳細を知らない方もいます。事故に直面した世代の一人として、私も「伝える」責任を感じています。深谷さんがあらためてその意義を教えてくれました。

沖縄に避難をしている、久保田美奈穂さん。デジカメを持って沖縄各地を訪ね、過去の戦争体験を知る人へのインタビューを続けています。「誰かの意見ではなく、自分で知って、自分で判断する、そんな輪が広がってほしい」と語り、事実の重みを自ら伝える側になりました。伝える仕事を生業にしている私にとって、これほど励まされることはありませんでした。仲間が増えたのです。市民と共に多様な現場を伝える、これが私がＮＨＫを退職してやり遂げたかったことの一つだからです。取材を通じて皆さんから力をもらいました。

この本の序章を書き始めた時には、アフリカ・スーダンにいました。２０１８年12月、スーダン市民は声を上げました。30年続くバシル政権の独裁に対して抗議するためです。物価の高騰やインフレによってパンも買えない、病院にも行けない、現金も引き出すことができないなど、市民生活は破綻していました。２０１９年４月に軍がバシル大統領を解任。その後もしばらく混乱が続きましたが、現在は軍による暫定政権から民主政権への移行を目指し交渉が続いています。市民は「アラブの春から我々は学んだ。武器を持ってはいけない」と、徹底的な平和的デモを貫きました。治安維持部隊の暴力によって１００人を超える市民が犠牲になり、いくつもの遺体がナイル川に放り込まれる悲劇もありました。スーダン市民は忍耐と信念で革命を成し遂げたのです。なぜ民主主義が必要なのか？　とあちらこちらで聞いて回りました。「公正さが必要だからだ」という回答が多く、「なぜ公正さが？」とさらに問うと、「皆が豊かになるためだ」と返ってきました。「民主主義を手に入れた先にまだ貧しさが待っていたら次はどうするつもりか？」と聞くと、「再び革命を起こす」「未来のことはわからない」など答えはまちまちでした。「経済力のある国と連携する」という答えもあったので「例えばどの国と組みたいのか？」と尋ね返すと「中国だ」と言います。「中国は民主主義ではないが良いのか？」とさらに突っ込むと「安定した経済力があるからだ」と。民主主義はジレンマを抱えた仕組みです。決定には時間がかかります。しかも、決定したビジョンが成功するとも限りません。それでも私は人々がそのプロセスに関わり、自らで選択できる民主主義が最良だと思っていますが、忍耐強くそれを維持できるかどうかは疑問です。強いリーダーシップで国家が主導し、迅速な決定で経済を発展させる中国モデルがスタンダードになってしまう懸念が拭えません。経済合理性が人々の基本的人権に優先されかねない決定であっても、受け入れてしまうのではないかと不安です。欲望を自制できるのか。ひょっとしたら「民主主義」という言葉が過去のものになってしまう未来が来るのではと警戒しています。ですから、私は今、次の映画製作に向けて撮影を始めています。その起点がスーダン。市民が今後どのような選択をするのか追い続けたいです。「民主主義消滅」これが私の今の最大の関心事です。日本も他人事ではありません。読者の皆さんとその都度考える機会を作っていきたいと考えています。ぜひ参加を促したいです。

今作品は、映画『わたしは分断を許さない』をベースに、私のこの10年あまりの現場取材や撮影の蓄積です。東京電力福島第一原発の事故をベースに描きながら、世界各国の「分断された地域」を訪ね歩き、一本のタイムラインに並べることで、分断の正体を突き止めたいというモチベーションでプロジェクトは始まりました。年代も、場所も、バラバラな映像を劇作家のきたむらけんじさんが見事に一つのストーリーに織り成してくれました。社会問題を人情劇で見せるきたむらさんの人に対する深い洞察力なくしては成り立たなかった。感謝しています。編集の高橋昌志さん、音楽の青木健さん、コピーライターの阿部広太郎さん、宣伝の今橋晃代さん、配給会社の太秦の皆さん、チームで作った映画です。「生業訴訟」への関わりを深めたのは、原告弁護団の先頭に立つ馬奈木厳太郎弁護士との出会いが大きかったです。権力と向き合い緻密な作戦で法廷闘争を闘い抜く姿勢に感銘を受けました。映画ではプロデューサーとして、俯瞰した立場から多くのアドバイスをもらいました。生業訴訟はまだまだ続きます。引き続き共に発信していきます。ＮＧＯの活動域の取材は、私と井上香澄が代表として立ち上げたＮＰＯ・ＮＧＯ取材の専門メディア「GARDEN Journalism」がベースになっています。GARDEN の取材ではその都度、文字起こしに始まり、記事執筆、校正まで一人で手がける井上にも感謝を。私は現場取材に集中できました。皆さんに支えられ、映画に続いて、書籍も完成にこぎつけました。そして、最後に。真っ先に駆けつけ、わたしに本を書く機会を与えてくださった実業之日本社の白戸翔さん、本当にありがとうございました。これからも共に発信を。

堀 潤　ほり・じゅん／1977年生まれ。ジャーナリスト、キャスター。個人がニュースを発信するメディア「8bitNews」代表。2001年にNHK入局、『ニュースウォッチ9』リポーター、『Biz スポ』キャスターなどを歴任し、2013年退局。自身の運営する「8bitNews」を中心に、テレビやラジオ、SNSなどで精力的に情報発信を続ける。TOKYO MX『モーニングCROSS』、J-WAVE『JAM THE WORLD』、Abema Primeなどでキャスターやコメンテーターを務める。著書に『堀潤の伝える人になろう講座』（朝日新聞出版）、『僕がメディアで伝えたいこと』（講談社）など。13年に公開された原発事故のドキュメンタリー『変身 Metamorphosis』から7年ぶりとなる、自身が監督・撮影・編集を務めた映画『わたしは分断を許さない』が20年3月に公開。

Twitter：@ 8bit_HORIJUN
Instagram：junhori79
YouTube：HORIJUN0709

わたしは分断《ぶんだん》を許《ゆる》さない
香港《ほんこん》、朝鮮半島《ちょうせんはんとう》、シリア、パレスチナ、福島《ふくしま》、沖縄《おきなわ》。
「ファクトなき固定観念《こていかんねん》」は何《なに》を奪《うば》うのか?

2020年3月16日　初版第1刷発行

著　者　堀潤《ほりじゅん》
発行者　岩野裕一

発行所　株式会社 実業之日本社
〒107-0062　東京都港区南青山5-4-30
CoSTUME NATIONAL Aoyama Complex 2F
電話（編集）03-6809-0452
（販売）03-6809-0495
https://www.j-n.co.jp/
印刷・製本　大日本印刷株式会社

ISBN 978-4-408-33918-4（新企画）